THOMAS MANNs »Buddenbrooks« und die Wirkung 1. Teil

Herausgegeben von
Rudolf Wolff

1986

BOUVIER VERLAG HERBERT GRUNDMANN · BONN

317012

CIP-Kurztitelaufnahme der Deutschen Bibliothek:
THOMAS MANNS ,,Buddenbrooks'' und die Wirkung/
hrsg. von Rudolf Wolff. — Bonn: Bouvier
NE: Wolff, Rudolf [Hrsg.]
Teil 1 (1986)
(Sammlung Profile; Bd. 16)

ISB N 3-416-01826-5
NE: GT

ISS N 0723-7626

Herstellerische Betreuung: Jochen Klein. Druck und Einband: Druckerei Plump
KG, Rheinbreitbach. Umschlagentwurf: Anna Braungart.

SAMMLUNG PROFILE
herausgegeben von Rudolf Wolff
Band 16:
Thomas Manns »Buddenbrooks«
und die Wirkung, 1. Teil

Bisher sind erschienen:

INHALTSVERZEICHNIS

I

I

Hans von Gumppenberg:
Im Akademisch-dramatischen Verein
las am Montag Thomas Mann ...
(1901)

Im Akademisch-dramatischen Verein las am Montag Thomas
Mann, der schon aus früheren literarischen Vortragsabenden
und dem »Simplicissimus« bekannte junge Erzähler, eigene Pro-
sadichtungen humoristischen Charakters vor. In der Novelle
Gladius Dei schilderte er, wie ein fanatischer Mönch in den Frieden einer Münchner Kunsthandlung einbricht, um die Entfer-
nung eines allzu weltlichen Madonnenbildes zu verlangen, bis er
endlich von dem Hausknecht des erbitterten Geschäftsinhabers
unsanft vor die Thüre befördert wird. Die kleine Geschichte
behandelt den verbrauchten und an sich wenig ergiebigen Vor-
wurf unter Aufbietung aller Einzelheiten des Lokalmilieus mit
unverhältnismäßig wichtig thuender Breite, ohne ihm neue Seiten abgewinnen zu können; ihr Humor ist oft recht gezwungen
und gefällt sich in einer Wiederholung steckbriefartiger Perso-
nalcharakteristiken, die mehr ermüdend als erheiternd wirkt.
Beträchtlich höher stand die zweite Gabe des Abends, ein Kapitel Schulgeschichten aus Manns kürzlich erschienenem Fami-
lienroman *Buddenbrooks*, das an den jungen Leiden eines
schwächlichen und feinnervigen Gymnasiasten theilnehmen läßt
und dabei eine Anzahl Lehrer- und Schülergestalten in greifba-
rer Plastik vorführt. Hier ist der Humor ungleich lebensvoller
und gelegentlich durch treffende psychologische Beobachtungen
gewürzt. Der Verein und seine zahlreichen Gäste [...] lauschten
in heiterster Stimmung und spendeten dem Vortragenden reichen Beifall.

(Kritik in: *Münchner Neueste Nachrichten*, 20. November 1901)

Thomas Mann
Brief an
Otto Grautoff
(1901)

26 XI. 01

Riva am Gardasee

Villa Cristoforo

Lieber!

Nur wenige dringliche Zeilen! Ich schreibe und lese hier nur
verstohlen.

Es handelt sich hauptsächlich um Kurt Martens' Buch »Die
Vollendung«: Bitte, laß keinen Anderen für die »Neuesten« darüber schreiben, sondern besprich Du selbst den Roman, wenn
auch nur kurz. Es ist dies des Verfassers Wunsch, und ich wün-
sche herzlich, daß er durch meine Vermittlung erfüllt werde. M.
hat dem Litter. Echo einen Aufsatz über mich geschrieben, der
mit Porträt veröffentlicht wird, und kommt mir in allen Stücken
dienend entgegen. Dies ist die erste Gelegenheit, mich ein
wenig zu revanchieren. Büsching oder ein Anderer würde das
Buch vielleicht zu lieblos abthun, und es ist immer schädlich, in
Eurem Weltblatt herabgesetzt zu werden. Ich bitte nochmals
dringend: nimm die Sache in die Hand und empfiehl das Buch
aufs Beste, noch vor Weihnachten.

Ein paar Winke noch, *Buddenbrooks* betreffend. Im Lootsen
sowohl wie in den Neuesten betone, bitte, den *deutschen* Charakter des Buches. Als zwei echt deutsche Ingredienzen, die
wenigstens im II. Bande (der wohl überhaupt der bedeutendere
sei) stark hervorträten, nenne *Musik* und *Philosophie*. Seine
Meister, wenn schon von solchen die Rede sein müsse, habe der
Verfasser freilich nicht in Deutschland. Für gewisse Partien des
Buches sei Dickens, für andere seien die großen Russen zu nen-
nen. Aber im ganzen Habitus (geistig, gesellschaftlich) und
schon dem Gegenstande nach echt deutsch: schon im Verhältnis
zwischen den Vätern und den Söhnen in den verschiedenen

Generationen der Familie (Hanno zum Senator). Tadle ein wenig (wenn es Dir recht ist) die Hoffnungslosigkeit und Melancholie des Ausganges. Eine gewisse *nihilistische* Neigung sei bei dem Verf. manchmal zu spüren. Aber das Positive und Starke an ihm sei sein *Humor*. – Der *äußere* Umfang sei etwas nicht ganz Bedeutungsloses. In der Zeit des »Überbrettls« und der Fünf-Secunden-Lyrik sei es wenigstens ein Zeichen ungewöhnlicher künstlerischer Energie, ein solches Werk zu concipieren und zu Ende zu führen. Es sei dem Verf. gelungen, den *epischen* Ton vortrefflich festzuhalten. Die eminet epische Wirkung des *Leitmotivs*. Das *Wagnerische* in der Wirkung dieser wörtlichen Rückbeziehung über weite Strecken hin, im Wechsel der Generationen. Die Verbindung eines stark dramatischen Elementes mit dem epischen. Dialog.

Damit genug! Mach Deine Sache recht gut und verschiebe sie nicht zu lange.

Meine Vorlesung ist sehr gut, um nicht zu sagen: glänzend verlaufen. Nur Gumppenberg hat mir mit seiner unverständigen und kalten Besprechung einen bitteren Nachgeschmack verschafft.

Nochmals: denke an *Martens*!

Herzlichen Gruß und auf Wiedersehen um Weihnachten. Ich freue mich, Dich von Italien erzählen zu hören.

Dein Thomas Mann.

Otto Grautoff
Thomas Manns
Buddenbrooks
(1901)

Im Zeitalter des Ueberbrettls muthet es uns wohl ein wenig
wunderbar an, wenn ein junger, noch ziemlich unbekannter
Schriftsteller es unternimmt, einen zweibändigen Roman von
über elfhundert Seiten zu schreiben. Schon dieser äußere
Umfang des vorliegenden Werkes darf als etwas nicht gerade
Alltägliches, als etwas Beachtenswerthes gelten; er beweist zum
Mindesten eine starke künstlerische Energie, einen anerken-
nenswerthen Arbeitsernst und eine lobenswerthe Geduld und
Ruhe des Schaffenden, die beide heutzutage, besonders bei jungen, aufstrebenden Talenten, selten zu finden sein dürften. In
dem Roman ist die Geschichte und der Verfall einer alten
Lübecker Patrizierfamilie geschildert. Drei Menschenalter ziehen an unserem Geiste vorüber; die Erzählung setzt um das
Jahr 1830 ein und entrollt vor unseren Blicken in hervorragender Charakteristik ein Bild des patriarchalischen Lebens der
wohlhabenden und zu Ehren und Ansehen gelangten Familie
des alten Konsul Buddenbrook. Der Sohn des Konsuls, der
spätere Senator Thomas Buddenbrook, ist als eine feinere, rei-
fere und differenziertere Blüthe seines Geschlechtes dargestellt,
der über den derben Materialismus seines Großvaters und
Vaters hinausgewachsen ist; sein Geist ist zarter und sensibler
und in der Periode seines beginnenden innerlichen und äußerlichen Zusammenbruchs wird er zum Skeptiker; da gewinnt er
den Sinn für das Versteckte, Tiefe und Abgründige einerseits
und andererseits wird er zum Schauspieler im Leben und
ergreift damit die letzte Rettungsplanke schiffbrüchiger Charak-
tere. Sein kleiner Sohn Hanno erscheint wie eine letzte, späte,
goldig überreife Blume im sinkenden Herbste. Er ist der Letzte
seines Geschlechtes und stirbt im Frühling seines Lebens ohne
je gelebt zu haben an der Lebensangst und der Furcht vor dem
harten, brutalen Leben. In ihm vollziehen sich die letzten Phasen des Verfalls seines müden und zum Untergang reifen
Geschlechts. Der sehr breit angelegte Roman ist reich an man-
nigfaltigen und prächtigen Detailschilderungen, die zuweilen
allerdings etwas barock wirken und den Fluß der Erzählung

beeinträchtigen. Eine gewisse nihilistische Neigung tritt an einigen Stellen des Romans merkbar hervor; dem gegenüber als positiver und starker Werth steht ein ausgezeichneter und sehr origineller Humor, der sich sowohl in der Charakterzeichnung wie in der Milieuschilderung offenbart. Als zwei echt deutsche Ingredienzen, die besonders im zweiten Bande hervortreten, dürfen die musikalischen und philosophischen Abschnitte gelten. Spezifisch Wagnerisch ist die eminent episch wirkende strenge Durchführung des Leitmotivs, die wörtliche Rückbeziehung im Wechsel der Generationen über weite Strecken des Buches hin. Stilistisch steht das Buch auf hervorragender Höhe. Für gewisse Partien des Buches mag man Dickens'sche Einflüsse konstatiren, für andere Tolstoi, Dostojewski und Turgenieff; doch im Großen und Ganzen ist der Stil von stark persönlicher Färbung, vollendeter Reife und vornehmem, harmonischem Glanz. Durch das ganze Werk geht ein echt deutscher Zug; der Gegenstand der Darstellung, sowie die Auffassung des Dichters und die Art, wie er die einzelnen Gestalten zu einander in Beziehung setzt, ist einem deutschen Empfinden entwachsen. Es ist zu wünschen, daß der Roman die weiteste Verbreitung findet.

(Rezension in: *Münchner Neueste Nachrichten*, 24. Dezember 1901)

Kurt Martens:
Der Roman einer Familie
Buddenbrooks – Verfall
einer Familie
(1901)

Es gibt in der »Kollektion Fischer« einen Band *Der kleine Herr Friedemann*. Diese und noch wenige andere Novelletten, die in der »Neuen deutschen Rundschau« und im »Simplizissimus« erschienen, sind das einzige, was Thomas Mann – nicht zu verwechseln mit seinem Bruder Heinrich, dem Verfasser des Romans *Im Schlaraffenland* – bisher veröffentlichte. Publikum und Kritik kennen seinen Namen kaum; wer jedoch zufällig auch nur ein paar Seiten von ihm las, wird seine Art so bald nicht wieder vergessen. Auffällig war an den Novelletten bereits die strenge Weltanschauung, ein Abscheu vor dem Leben, der sich selber als schwächlich verachtet und bekämpft, vielversprechend die überaus kühle, fast peinliche Kleinmalerei, eng verbunden mit lebhaftester Intuition und in den letzten Arbeiten mit einem schmerzhaft empfundenen Humor.

Der Roman *Buddenbrooks* nun erfüllt alle Erwartungen, die sich an den jungen Autor knüpften, im weitesten Maße und, was das erfreulichste ist, er giebt die Zuversicht, daß Thomas Mann niemals Roman *fabrikant*, niemals einer jener talentvollen Vielschreiber werden wird, die schließlich zum Durchleben ihrer Stoffe keine Zeit mehr finden. Seine Figuren, seine Situationen, die alltäglichen Vorgänge, die er schildert, an sich unbedeutend und gleichgiltig, gewinnen einen eigenartigen Reiz nur dadurch, daß sie für einen Dichter, daß sie gerade für Thomas Mann zum inbrünstigen Erlebnis wurden. Ohne dieses Erlebnis wären sie gar nicht denkbar, weil sie ein Dasein nur durch das Auge ihres Schöpfers führen. Andererseits unterscheidet sich Thomas Mann auch von den Anfängern, die wohl vieles wollen und unklar fühlen, aber nicht gestalten können, durch eine reife, sichere Technik, durch Kraft der Zeichnung und Farbe, durch verblüffende Anschaulichkeit und lebhaften Vortrag, namentlich auch durch einen echt epischen Stil, der reich ist ohne Schwulst, originell ohne Absicht, kunstvoll ohne Künstelei.

Der Roman führt den Untertitel »Verfall einer Familie«, und

in der That handelt es sich um nichts anderes als um das Sterben der letzten Buddenbrooks, die als alte lübecker Patrizier in ihrem Handelshause und ihrer Kaste eine letzte, kurze Blüte genießen, dann aber, rasch degeneriert, an Entkräftung zu Grunde gehen. Also ein sehr einfaches Motiv, durchaus kein hohes Ziel, keine schwierige Aufgabe, die der Verfasser sich in weiser Selbstbeschränkung gestellt hat. Er verzichtet auf jede Verwicklung, schürzt keine Knoten, konstruiert keine Konflikte, verschweigt seine Ideen und Hoffnungen, sucht vielmehr allen Ruhm hauptsächlich darin, gelassen, doch eindringlich darzustellen, wie vor seinem inneren Auge das Leben sich abspielt, nämlich als ein unentrinnbares Verhängnis armer, schuldloser, meist lächerlicher Menschen, die man um so inniger liebt, je mehr man sie mißachten muß. Im Gegensatz zu den erwähnten Novelletten befleißigt sich der Roman einer harten Objektivität. Der Dichter erklärt sich weder für noch gegen das Milieu; von religiösen und ethischen Grundsätzen wird berichtet ohne die leiseste Kritik; die verschiedenartigsten Leute werden vorgeführt nebst einer Fülle kleiner, bezeichnender Auftritte, aber die wenigsten Personen ließen sich als »sympathisch« oder »unsympathisch« bezeichnen; nur ein schmerzlich mitfühlendes Lächeln glaubt man fortwährend auf den Zügen des Dichters zu erblicken. Er findet die Menschen, wenigstens diese Durchschnitts-Lübecker, um die es sich hier ausschließlich handelt, mit all ihren kleinen Schwächen und Eitelkeiten, ihrem nutzlosen Treiben und ihren kindlichen Klagen, mehr oder weniger drollig. Nur ein paar rührende Kindergestalten besitzen seine tiefernste, uneingeschränkte Liebe. Ueber ihnen allen aber, über dem Dichter wie über seinen Gestalten, waltet das grausame Leben und vergiftet seinen Humor mit einer schrecklichen Bitterkeit.

Die Buddenbrooks werden vorgeführt in ihren vier letzten Generationen. Noch blüht um das Jahr 1830 die Firma in gesegnetem Wohlstand. Ihr Chef, der alte Johann Buddenbrook, versammelt seinen frischen Nachwuchs, seine zahlreichen Verwandten und Freunde um sich zu munteren Biedermeier-Festen, schwatzt ihnen, französisch und plattdeutsch durch einander, seine Schnurren vor und erlaubt sich dabei als Jünger der einst modischen Aufklärung gern ein Späßchen mit der Religion. Man diniert bei ihm sehr umständlich und gehaltvoll, giebt Anekdoten von Napoleon zum besten, und der Poet der Stadt preist das ehrwürdige Haus mit artigen Verslein: »... Tüchtigkeit und zücht'ge Schöne Sich vor uns'rem Blick verband, Venus Anadyoméne Und Vulcani fleiß'ge Hand ...« – Zwei Söhne hat der alte Johann Buddenbrook. Mit dem Aelteren freilich, der ein Mädchen aus dem Mittelstand heiratete und ein Geschäft mit offenem Laden gründete, ist er zerfallen; der Jüngere dagegen, bereits Konsul, arbeitet neben ihm als Kompagnon, sehr gottesfürchtig und gediegen, dabei auf seinen Vorteil stets bestens bedacht. Auch dessen Söhne, Thomas und Christian, geben vorläufig zu Besorgnissen keinen Anlaß. »Prächtige Bursche, Frau Konsulin!« komplimentiert der Stadt-Poet. »Thomas, das ist ein solider und ernster Kopf; er muß Kaufmann werden, darüber besteht kein Zweifel. Christian dagegen scheint mir ein wenig Tausendsassa zu sein, wie? ein wenig incroyable ... allein ich verhehle nicht mein engouement: Er wird studieren, dünkt mich; er ist witzig und brillant veranlagt.« – Aber während die Geschicke der Familie nun eintönig weiterrollen, die Großeltern zur Grube fahren und neue Enkel geboren werden, wächst unmerklich die Ahnung von sinkenden Kräften. In den Spielen der Kinder offenbaren sich kleine Charakterzüge, die zu denken geben. Christian kehrt gern den grotesken Komödianten heraus, macht mit vierzehn Jahren einer Diva des Stadt-Theaters so wirkungsvoll den Hof, daß die lockeren »Suitiers« vom Klub ihre helle Freude daran haben; das eine Schwesterchen, Tony, ergötzt sich an Claurens »Mimili«, das andere zeigt körperliche Schwäche und pietistische Verdüsterung. Als Tony kaum herangewachsen, kommt ein Herr Grünlich ins Haus, mit unwahrscheinlich blonden Favoris, geschäftlich aber allem Anschein nach gut fundiert. Und Tony, obgleich sie ihn widerwärtig findet und eigentlich für einen revolutionären Studiosus schwärmt, nimmt schließlich Herrn Grünlich, weil sein Werben zähe ist und der Vater ihr zuredet. Bald jedoch, nach Grünlichs allseitigem Bankerott, kehrt sie ins elterliche Haus zurück, entrüstet, doch keineswegs gebrochen. Sie hat nunmehr »das Leben kennen gelernt« und spricht daher von ihrem Mißgeschick nicht ohne Genugtuung. – Das Revolutions-Jahr achtundvierzig macht sich auch in Lübeck bemerkbar, weniger schreckenerregend als kläglich; die gutmütigen Hafenarbeiter fühlen sich in ihrer Auflehnung ziemlich unwohl; nachdem Konsul Buddenbrook im Namen der geängsteten Bürgerschafts-Behörde sie ironisch abgekanzelt, zerstreuen sie sich in bester Laune. Dieser Miniatur-Aufstand ist das einzige Ereignis, das von außen her die Zirkel des Lübeck-Buddenbrookschen Stillebens ein wenig stört. Des Konsuls Schwiegervater nämlich, ein stolzer »à la mode Kavalier«, stirbt an zurückgetretener Wut über die unerhörte Anmaßung der Kanaille. – Und weiter geht der einförmige Kreislauf von Firma und Familie, in Geburten und Heiraten, Krankheiten und Todesfällen. Auch der Konsul stirbt, und Thomas wird alleiniger Chef. Er leitet das Haus mit klugen Ideen, gewandt und energisch, aber ohne Glück. Bruder Christian ist zu nichts zu gebrauchen; vielleicht daß ein Künstler an ihm verdorben ist: denn er hat originelle Einfälle, Empfänglichkeit für das Schöne und einen genialen Witz; in seinem Patrizier-Winkel aber nimmt er sich nur lüderlich und albern aus. Die Damen der Familie vertreiben sich die Zeit mit frommen »Jerusalems-Abenden« oder halten wöchentlich den »Kindertag« ab, auf dem ältliche Cousinen mit spitzer Zunge ihren Klatsch verbreiten. Frau Tony, geschiedene Grünlich, heiratet abermals und zwar einen braven münchener Hopfenhändler. Aber es ist wieder nicht die wahre Liebe. Für ihre norddeutsche Feinheit fehlt es dem biderben Gatten an rechtem Verständnis. Eine seiner fürchterlichsten Grobheiten raubt ihr den letzten Rest von Achtung. Abermals rettet sie sich nach Haus und widmet sich notgedrungen der ausschließlichen Erziehung ihres Töchterchens. – Die Merkmale des Niederganges werden immer häufiger und unverkennbarer. Im Geschäft mehren sich die Verluste; allmählich schwindet auch das Ansehen der Firma unter den Freunden und Konkurrenten. Die Wahl des Chefs zum Senator, ein Gründungs-Jubiläum wirken nur noch äußerlich glänzend; als Mensch ist Thomas Buddenbrook bereits gebrochen. Seine Unternehmungen bleiben nicht ohne Makel, er wird griesgrämig und eifersüchtig auf seine Gattin, weltschmerzliche Grübeleien drängen sich ihm auf, und, was ihn am meisten bedrückt, sein kleiner Sohn Hanno erscheint in jeder Beziehung lebensuntauglich; ganz verinnerlicht und überfeinert, wird dieser Träumer weder die Firma noch die Familie jemals würdig vertreten. – Nach des Senators höchst jammervollem Tode löst alles sich in Trümmer auf. Der Rest des Vermögens wird zerstückelt, die Firma gelöscht, das väterliche Haus verkauft, und Hanno, der letzte männliche Buddenbrook, aufgerieben von den Aengsten und Härten der Schule, fällt dem Typhus zum Opfer.

Es ist klar, daß solch armselige, öde Geschehnisse des Alltags mit ihren vielfachen Widerholungen nur dann fesseln können, wenn ein Künstler sie darstellt, der *über* und zugleich tief in ihnen lebt. Eine vornehme, liebevolle, liebenswerte Persönlichkeit mußte das trübselige Gewimmel durchdringen, um es reizvoll zu machen. Thomas Mann hatte die rechten Augen, das rechte Herz, die rechte Sprache dafür. Zunächst beobachtet er mit unermüdlichem Fleiße; je unscheinbarer die Züge, desto bezeichnender werden sie ihm. Die Linien des lokalen Hintergrundes, die von den sogenannten Heimatkünstlern gern dick und ohne Perspektive aufgetragen werden, die Stimmung der deutschen, der lübeckischen Heimat zeichnet er klar, doch stets diskret; sie verstehen sich für ihn von selbst. Viel wichtiger sind ihm die Seelen der Menschen und ihre Beziehungen zu ewigen Gesetzen, zu den Rätseln von Werden und Vergehen. An die zehn Sterbefälle werden erzählt und vielfach ausführlich geschildert: jeder ist von neuem erschütternd. Tod bedeutet hier überall Erlösung, das Sterben dagegen mit all seinen Aengsten und Qualen den Gipfel des Grauenvollen in unserem Leben. Die Art, wie Thomas Mann den Verlauf von körperlichen Leiden darstellt und deren Rückwirkung auf das Gemüt – in dürren Worten, die gleichwohl vor Entsetzen heimlich sich zu winden scheinen – zeugt für die Intensität seines Empfindens ebenso wie für die Biegsamkeit seines Stils. Die Menschen charakterisiert er nicht sowohl durch Analyse ihrer Natur oder ihrer Willensimpulse als vielmehr induktiv durch eine Reihe immer markanterer Einzelzüge, etwa kleiner Tagesbedürfnisse, Angewohnheiten, stereotyper Redenarten, derart, daß auch der Blick des Lesers von außen her allmählich immer tiefer nach innen dringt. Nur bei der komplizierten Seele des kleinen Hanno arbeitet Thomas Mann mit allen verfügbaren Mitteln und erweist sich darin als ein Psychologe ersten Ranges. Die Mängel, die den Roman zu universaler Bedeutung nicht gelangen lassen – sprunghafte Entwicklung der Vorgänge, eine gewisse Ideen-Armut, Kraft-und Ratlosigkeit der Weltanschauung – können ihren Grund in dem gewählten Stoffe haben; ob sie dem Verfasser selbst dauernd anhaften, bleibt abzuwarten bis zu seinem nächsten Werke.

(Rezension in: *Das literarische Echo*, 4. Jahrg., H. 6, Berlin 1901, S. 380 bis 383)

Rainer Maria Rilke
Thomas Manns
Buddenbrooks
(1902)

Man wird sich diesen Namen unbedingt notieren müssen. Mit einem Roman von elfhundert Seiten hat Thomas Mann einen Beweis von Arbeitskraft und Können gegeben, den man nicht übersehen kann. Es handelte sich ihm darum, die Geschichte einer Familie zu schreiben, welche zugrundegeht, den »Verfall einer Familie«. Noch vor einigen Jahren hätte ein moderner Schriftsteller sich damit begnügt, das letzte Stadium dieses Verfalls zu zeigen, den Letzten, der an sich und seinen Vätern stirbt. Thomas Mann hat es als ungerecht empfunden, in einem Schlußkapitel die Katastrophe zusammenzudrängen, an welcher eigentlich Generationen arbeiten, und er hat, gewissenhaft, dort begonnen, wo der höchste Glücksstand der Familie erreicht ist. Er weiß, daß hinter diesem Höhepunkt notwendig der Abstieg beginnen muß, erst in kaum merklicher Senkung, dann immer jäher und jäher und schließlich senkrecht abfallend in das Nichts.

So war er also vor die Notwendigkeit gestellt, das Leben von vier Generationen zu erzählen, und die Art wie Thomas Mann diese ungewöhnliche Aufgabe gelöst hat, ist so überraschend und interessant, daß man, obwohl es Tage kostet, die beiden gewichtigen Bände Seite für Seite mit Aufmerksamkeit und Spannung liest ohne zu ermüden, ohne etwas zu überschlagen, ohne das geringste Zeichen von Ungeduld oder Eile. Man hat Zeit, man muß Zeit haben für die ruhige und natürliche Folge dieser Begebenheiten; gerade weil nichts in dem Buche für den Leser da zu sein scheint, weil nirgends, über die Ereignisse hinweg, ein überlegener Schriftsteller sich zu dem überlegenen Leser neigt, um ihn zu überreden und mitzureißen, – gerade deshalb ist man so ganz bei der Sache und fast persönlich beteiligt, ganz als ob man in irgend einem Geheimfach alte Familienpapiere und Briefe gefunden hätte, in denen man sich langsam nach vorn liest, bis an den Rand der eigenen Erinnerungen.

Thomas Mann fühlte ganz richtig, daß er, um die Geschichte der Buddenbrooks zu erzählen, Chronist werden müsse, das heißt ruhiger und unerregter Berichterstatter der Begebenheiten, und daß es sich trotzdem darum handeln würde, Dichter zu sein, und viele Gestalten mit überzeugendem Leben, mit Wärme und Wesenheit zu erfüllen. Er hat beides in überaus glücklicher Weise vereint, indem er die Rolle des Chronisten modern aufgefaßt hat und sich bemüht hat, nicht einige hervorragende Daten zu verzeichnen, sondern alles scheinbar Unwichtige und Geringe, tausend Einzelheiten und Details gewissenhaft anzuführen, weil schließlich alles Tatsächliche seinen Wert hat und ein winziges Stück von jenem Leben ist, das zu schildern er sich vorgenommen hatte. Und auf diese Weise, durch diese herzliche Versenkung in die einzelnen Vorgänge, durch die große Gerechtigkeit gegen alles Geschehen erreicht er eine Lebendigkeit der Darstellung, die nicht so sehr im Stoffe, als vielmehr im fortwährenden Stofflichwerden aller Dinge liegt. Es ist etwas von der Technik Segantinis hier in das andere Gebiet übertragen: die gründliche und gleichwertige Behandlung jeder Stelle, die Durcharbeitung des Materials, welche alles wichtig und wesentlich erscheinen läßt, die von hundert Furchen durchzogene Fläche, die dem Beschauer einheitlich und von innen heraus belebt erscheint, und schließlich das Objektive, die epische Art des Vortrags, welche selbst das Grausame und Bange mit einer gewissen Notwendigkeit und Gesetzmäßigkeit erfüllt.

Diese Geschichte des alten Lübecker Patriziergeschlechtes Buddenbrook (in Firma Johann Buddenbrook), welche mit dem alten Johann Buddenbrook um 1830 einsetzt, endet mit dem kleinen Hanno, seinem Urenkel, in unseren Tagen. Sie umfaßt Feste und Versammlungen, Taufen und Sterbestunden (besonders schwere und schreckliche Sterbestunden), Verheiratungen und Ehescheidungen, große Geschäftserfolge und die herzlosen unaufhörlichen Schläge des Niederganges, wie das Kaufmannsleben sie mit sich bringt. Sie zeigt das ruhige und naive Arbeiten einer älteren Generation und die nervöse, sich selbst beobachtende Hast der Nachkommen; sie zeigt kleine und lächerliche Menschen, die in den verwirrten Netzen der Schicksale sich heftig bewegen, und offenbart, daß auch die, die etwas weiter sehen, des Glückes oder Unheils nicht mächtig sind und daß beides immer aus hundert kleinen Bewegungen entsteht und, fast unpersönlich und anonym in seinem Ursprung, sich ausbreitet und sich zurückzieht, während das Leben weitergeht wie eine Welle. Besonders fein beobachtet ist, wie der Niedergang des Geschlechtes sich vor allem darin zeigt, daß die Einzelnen gleichsam ihre Lebensrichtung geändert haben, daß es ihnen nicht mehr natürlich ist, nach außen hin zu leben, daß sich vielmehr eine Wendung nach Innen immer deutlicher bemerkbar macht. Schon der Senator Thomas Buddenbrook muß sich anstrengen, um seinen Ehrgeiz zu befriedigen, – bei seinem Bruder Christian aber hat diese Abkehr vom äußeren Leben zu einer gefährlichen und pathologischen Selbstbeobachtung geführt, die sich auf innere leibliche Zustände erstreckt und ihn mit ihrer quälenden Unerbittlichkeit zu Grunde richtet. Auch der Letzte, der kleine Hanno, geht mit nach innen gekehrtem Blick umher, aufmerksam die innere seelische Welt belauschend, aus der seine Musik hervorströmt. In ihm ist noch einmal die Möglichkeit zu einem Aufstieg (freilich einem anderen als Buddenbrooks erhoffen) gegeben: die unendlich gefährdete Möglichkeit eines großen Künstlertums, die nicht in Erfüllung geht. Der kränkliche Knabe geht an der Banalität und Rücksichtslosigkeit der Schule zu Grunde und stirbt am Typhus.

Sein Leben, ein Tag dieses Lebens, nimmt einen größeren Raum im zweiten Bande ein. Und so grausam das Schicksal diesen Knaben zu behandeln scheint, auch hier hören wir nur den ausgezeichneten Chronisten, der tausend Tatsachen bringt, ohne sich zu Zorn oder Zustimmung hinreißen zu lassen.

Und neben der kolossalen Arbeit und dem dichterischen Schauen ist diese vornehme Objektivität zu loben; es ist ein Buch ganz ohne Überhebung des Schriftstellers. Ein Akt der Ehrfurcht vor dem Leben, welches gut und gerecht ist, indem es geschieht.

(Rezension in: *Bremer Tageblatt*, Nr. 88 vom 16. April 1902.)

Franz Blei
Thomas Manns
Buddenbrooks. Verfall einer Familie
(1902)

Man könnte mancherart Vermutungen darüber aufstellen, weshalb der deutsche Roman so selten ist, sich fragen, ob dem Deutschen der Roman überhaupt eine geläufige und genehme Form ist angesichts der vielen guten Romane der Franzosen. Und man kann doch nicht sagen, dass die Deutschen die Romane nicht lesen, im Gegenteil, sie verschlingen Unmassen davon; im Lande fabrizierte und aus der Fremde übersetzungsweise importierte füllen Leihbibliothekskataloge und Zeitungen. Vielleicht machen es sich gerade aus diesem wohlerkannten Lesebedürfnis heraus die Romaneschreiber so leicht und haben wir es der Genügsamkeit der romanelesenden Deutschen zu verdanken, dass der Roman so verkommen ist. Denn die guten deutschen Romane zu zählen, genügen die Finger einer Hand und da muss man die Wahlverwandtschaften doppelt zählen, weil sie kein guter sondern ein ausserordentlicher Roman sind. – Thomas Mann erzählt in seiner Verfallsgeschichte die wenig komplizierte Chronik einer norddeutschen Gross-Kaufmannsfamilie durch vier Generationen. Den Mut des Autors muss man vor allem bewundern, der sich mit so beschränkter, beschränkender Enge begnügte, den Mut und die ehrliche Rücksichtslosigkeit, mit der die wenig aufregenden Ereignisse und die wenig »interessanten« Persönlichkeiten dem Leser intim gemacht werden. Viele Feinheit, viel Liebe, Geschmack und Zurückhaltung machen das Einfache und Gewöhnliche der Vorgänge anschaulich und angenehm lebendig. Der Autor setzt keine grosse Maschinerie in Bewegung, um seinen Roman zu einem Kunstwerk zu steigern, er kommt mit dem Bescheiden auf das Kleine und Unmittelbare diesem Ziel nahe. Ungeduldige Leser verträgt das Buch nicht; die werden darin wenig mehr finden als Heirat – Kindtaufe – Sterben, oder: Heirat – Scheidung – Sterben, oder: Sterben – Heirat ... ja, wohl so, aber die Tragik und die Komik der Kleinen als auch der Grossen, verläuft sie denn anders? Es ist die Kunst, die kleine Dinge schlicht und völlig erzählt, angenehmer, als jene, die in den Absichten gross ist, in der Erfüllung aber im Stich lässt. Von

Zeit zu Zeit ist es gut, dass Kunstübung ein Handwerk werde: bei den Deutschen möge sich der Roman in diese Elementarschule begeben.

(Rezension in: *Die Insel*, 3. Jahrg., H. 4, Leipzig 1902, S. 115 bis 117.)

Richard Schaukal:
Thomas Mann.
Ein literar-psychologisches Porträt.
(1903)

[...] Ich lernte den einsam und bescheiden abseits lauter Straßen Schreitenden im Sommer vorigen Jahres leiblich kennen. In seinen Schriften, Büchern und Briefen besaß und hegte ich den Merkwürdigen schon geraume Zeit. Der Eindruck seines äußeren Wesens ist konform dem seines Schrifttums: edel-schlichte, zurückhaltend-abwartende Besonnenheit. Die melancholischen, treuen Augen sind deutsch, tief, innig, die steile Stirne steht bloß über ihnen und einer feinen, nervösen Nase. Ein weicher Schnurrbart, der vergeblich sich bemüht, norddeutsch-martialisch sich zu gebärden. Aufstrebend-gescheiteltes Haar, kastanienbraun, von den sympathischen Schläfen nach auswärts gestrichen. Von seinen Schicksalen weiß ich wenig: aus Lübekker Patrizierkreisen, früh dem Kaufmannsstande gegen eigenen Wunsch gewidmet, später literarischer Hilfsarbeiter bei Verlegern, zeitig eine selbständig-ungehemmte Tätigkeit sich erkämpfend: das ist der ereignisarme Lebensgang meines Freundes. Schwer leidet der schmächtig-hochgewachsene an geschädigten Nerven, die er beharrlich in strenge Zucht zu nehmen bemüht ist. Oft flüchtet er aus dem Gesumme der Künstlerstadt in die Stille eines Rivaer Sanatoriums. Er sprich gedämpft, seiner Gesten sind nicht viele, ein müdes, sanftes Lächeln steht dem schmalen Gesichte lieblich an. Man muß dem sozusagen Lautlosen, der gewinnend über wohlgebildete Allüren verfügt, herzlich gut sein.

Mann hat uns bisher drei Bücher geschenkt: [...] – alle drei bei S. Fischer, Berlin.

Schon die Novellen und Skizzen, die das Erstlingsbändchen vereinigte, enthalten den ganzen Mann. Straffe, sichere Pinselführung, manchmal breit aufgesetzt, eine dunkel-glühende Farbe, vornehm-gelassene, ein wenig bitter-schmerzliche Berichterstattung, immer der Hauch eines fast zärtlichen Humors über der Gestaltung. Seltsame Schicksale sind dem scharfäugigen, hellseherischen Psychologen willkommen. Er formt gern mit feinfühligen Fingern sonderbar-wehmütige Grotesken. Knut Hamsun und die quälerische Mystik Richard Wagners sind ihm teuer. Sein verehrter Meister aber heißt Arthur Schopenhauer.

Thomas Mann ist eminent musikalisch. Man kann das nicht bloß aus gelegentlichen delikaten Aeußerungen über Werke der Tonkunst, an den bis zur zitternden Sensibilität gesteigerten Musikergestalten, die er geschaffen, man kann das noch überzeugender aus der durchaus rhythmischen Art seiner gleichsam schwingenden Prosa erkennen. Sein Stil ist der Stil eines allmächtigen, durchaus taktfesten – Dirigenten. Er hat Gehalt, Selbstgewicht. Bei aller Reserve ist dieser Stil artistisch im Sinne der wirkungssicheren Nüancierung. Eine besondere Eigentümlichkeit sind die Leitmotive, wiederkehrende, der Erinnerung behilfliche, der Verdeutlichung wirksame, festverbundene Charakteristika. Die einzelnen Stücke sind mit zärtlichem Geschmacke gerundet. Alles ist entworfen, grundiert, dann vertieft. Die Novelle *Gladius Dei* (für mich Manns schwächste Leistung) z. B. ist der Entwurf für ein Drama »Savonarola«. Mann hat sich die Epoche des Florentiners durch eine moderne Parallele konstruierend klar zu machen gesucht. Das Problem war gegeben. Er variierte es spielerisch. Er schreibt gern. Nein physisch bereitet ihm die Formung keine Mühseligkeiten, denn er hat den Stoff immer vor den geistigen Augen. Liebevoll lebt er mit ihm und gelassen. Auch ist ihm das Material absolut verläßlich. Umso erschöpfter sind diese so beständig fast gespannten Nerven, wenn der Künstler sie gewissermaßen entläßt. Thomas Mann ist vielleicht der feinste deutsche Prosaautor der Jetztzeit. Seine Manier – und welcher Dichter hätte keine – ist absolut germanisch, beziehungsweise nordisch. Nichts Französisches, woran so sehr unser Schrifttum krankt, ist an ihm zu entdecken. (Ganz im Gegenteile hat seinen sehr begabten Bruder *Heinrich* die romanische Macht unterworfen. Man sehe seinen, in schlechten d'Annunziogewändern affektiert stolzierenden Roman *Die drei Göttinnen oder die Romane der Herzogin von Assy* daraufhin an; schon sein *Schlaraffenland* verriet die Wirkung des von ihm gut interpretierten Capus.) Als die wunderbarste Gabe dieser durchaus rassenreinen Künstlerpersönlichkeit erscheint mir die Novelle *Tristan*. Diese innige Ironie, Selbstironie des Gestalters in allen Gestalten, ist das Köstlichste, das ich seit langer Zeit genießen durfte. Wie triumphiert hier das Vitale selbstverständlich, grausam-überzeugend. Robuste Tatsächlichkeit ist Leben, alles andere Poetendünkel, Traum. Und Menschen aus feineren Stoffen sind nur zum Leiden da.

Kaum kann der Konflikt der wahnsinnig-idealisierenden, vielleicht so das Allertiefste im unbegreiflichen Dasein der Individuen seherisch verkündenden Künstlerpsyche – und zu den Künstlern pur sang zählt die Frau; Künstler sein heißt sich und andere »erkennen« und leiden an dieser Erkenntnis – der Konflikt dieser schmerzlich tangiblen Psyche mit dem Objekt – Urwelt, Mensch als Typ – ergreifender dargestellt werden. Mit *Parzival* stellt sich Mann still – sicher neben Jacobsen.

(Porträt in: *Rheinisch-westfälische Zeitung* vom 9. August 1903)

Heinrich Meyer-Benfrey:
Thomas Mann.
(1904)

[...] Und doch bezeichnet das zweite Werk des Dichters eine vollständige Ueberraschung und einen erstaunlichen Fortschritt. Es ist der zweibändige Roman *Buddenbrooks* (1901). Daß ein Roman von mehr als 1100 Seiten, der nicht nach heute beliebter Manier mit einem pikanten Knalleffekt beginnt, sondern gerade in der Anfangspartie etwas breit und keineswegs spannend ist, in weniger als zwei Jahren sieben Auflagen erlebt, ist immerhin ein Ereignis; aber nie war ein Erfolg so verdient wie dieser. Das Ganze ist ein echtes und rechtes Epos, das ruhig und bedächtig, ohne Spannung, ohne alle dramatische Erregtheit und Zuspitzung seinen Gang geht und dadurch nicht zum wenigsten den Eindruck monumentaler Größe erweckt, ohne daß irgend etwas Einzelnes darin groß erscheint. Auch im Inhalt und in der Gesamtstimmung stellt sich das Werk nahe zu den großen Epen der alten Zeit, denn auch in ihm wird der Untergang einer Welt dargestellt. Diese Welt, eine Lübecker Patrizierfamilie und Handelsfirma, erscheint uns äußerlich klein im Vergleich mit den Königreichen der alten Sagen, aber sie ersetzt das durch die große Zahl und Mannigfaltigkeit ganz individueller Gestalten und den Reichtum des seelischen Lebens. Damit sie indessen als eine Welt erscheint, ist diesen Gestalten trotz aller Buntheit und Differenziertheit ein gemeinsamer Familienbezug unverkennbar aufgeprägt; und nicht nur das, sie haben selbst das Gefühl der Zusammengehörigkeit und erkennen eine höhere Einheit über sich. Diese Einheit, der sich der Einzelne willig und mit fast religiöser Pietät beugt und unterordnet, ist die Familie und noch mehr die Firma; sie ist der gemeinsame Glaubensgegenstand und eine Art Kult, der alle zusammenschließt. Der Glaube an sie entbindet eigene seelische Kräfte, die dieser Welt einen besonderen sittlichen Charakter und Eigenwert verleihen. Und das Fehlen dieses Glaubens und dieser Pietät gilt in dieser Welt als der eigentliche sittliche Mangel. Da nun dieses Phänomen, wo der Einzelne durch Familientradition bestimmt ist und eine unpersönliche, in einer Sache verkörperte Macht über seinem Leben waltet, außer beim Adel, wohl nur noch beim Großhandel vorkommt, so wirkt der Roman zugleich unwillkürlich wie eine Verherrlichung dieses hansestädtischen Patriziertums, obwohl das eigentliche Getriebe des Geschäfts stets bescheiden im Hintergrund bleibt und nirgends als Selbstzweck behandelt wird – das Interesse des Dichters ist ganz auf das Seelenleben konzentriert –, ebenso wie die weltgeschichtlichen Ereignisse, die in ihren Wirkungen wiederholt hineinspielen, stets ganz hinten am Horizont bleiben, aber doch nie aus dem Gesichtskreise schwinden. – Die Verherrlichung besteht eben darin, daß gezeigt wird, welche spezifischen sittlichen Kräfte in diesem Berufe gefordert und entwickelt werden.

Was die *Buddenbrooks* indes von den Epen der Vorzeit aufs bestimmteste unterscheidet und zu einer echt modernen Dichtung stempelt, ist zweierlei: daß die einzelnen Gestalten, die in ihr auftreten, nie ins Heroische gesteigert, »idealisiert« oder auch nur als etwas Besonderes, als hervorragende und interessante Menschen hingestellt sind; es sind vielmehr ausnahmslos gewöhnliche Alltagsmenschen, die das Durchschnittsmaß nach keiner Richtung merklich überschreiten, alle voll ausgeprägte Individualitäten, wie die Natur sie schafft, und darum ebenso unbedingt wahr, natürlich und lebendig, aber nicht Persönlichkeiten, kurz Gestalten, die nur der vollendeten und innerlich gefühlten Kunst des Dichters unsere Teilnahme verdanken. Und zweitens, daß der Verfall dieser Familie sich rein von innen heraus vollzieht, nicht durch das Walten geheimnisvoller Mächte oder eines weltbewegenden Geschickes, sondern aus vitaler Schwäche, daher auch allmählich und unauffällig, ohne die Glorie einer großen, ruhmvollen Katastrophe. Es ist einfach der natürliche Prozeß des Alterns und Absterbens, dem Familien und Gemeinschaften wie die Einzelnen unterliegen. Und seine Erscheinungen sind die allgemeinen aller Dekadenz: fortschreitende Verfeinerung und Differenzierung, Ausbildung der abgleitenden und spezialisierten Vorgänge des seelischen Lebens auf Kosten der einfachen, primitiven, zentralen Lebensenergie. [...]

(Zu den *Buddenbrooks* in: *Beilage zur Allgemeinen Zeitung* vom 22. März 1904)

Otto Anthes:
[Aus] Die Stadt der Buddenbrooks.
(1925)

Der Roman *Buddenbrooks* war im Jahre 1901 erschienen. Ganz kurz darauf wies mir das Schicksal Lübeck als Wohnsitz an. Ich fand die Stadt in einer ungeheuren Erregung über das Buch, das den einen als niedrige Rache eines Mißvergnügten, den anderen als der Ausfluß einer ehrfurchtslosen Frechheit, allen gleichermaßen aber als ein übles Machwerk erschien, mit dem ein mißratener Sohn die Vaterstadt geschändet habe.

Ich war zunächst fassungslos. Ich versuchte von künstlerischen und schriftstellerischen Eigenschaften des Werks zu sprechen; aber man sah mich an, als ob ich den Verstand verloren hätte. Ein Lehrer des Katharineums, der alten, von Bugenhagen gegründeten Gelehrtenschule, der Thomas Mann unterrichtet hatte, schrie mich empört an: »Das soll ein bedeutender Schriftsteller sein? Ich hab ihn im Deutschen gehabt. Er hat nie einen ordentlichen Aufsatz schreiben können.« – Und die dem Roman seine künstlerische Bedeutsamkeit nicht abzusprechen wagten, meinten: Das sei nur um so schlimmer, daß eine solche Begabung sich selbst derart mißbraucht habe.

Unterdessen wuchs ich langsam in Wesen und Art meiner neuen Heimat hinein. Und die übermächtige Wirkung des Stofflichen, die für meine Mitbürger alle anderen Gesichtspunkte auslöschte, fing an, mir verständlich zu werden. Man stelle sich vor: Eine mittlere Stadt, die damals beiläufig 80.000 Einwohner zählte; die durch alle Wechselfälle der Geschichte ihre staatliche Selbständigkeit erhalten hatte; angefüllt mit Zeugnissen einer großen und reichen Vergangenheit; durchströmt von einem Selbstbewußtsein, das nur stärker werden konnte angesichts des bescheidenen Umfangs aller Dinge – diese Stadt fand sich mit allen ihren örtlichen und menschlichen Besonderheiten in einem Roman wieder. Hunderte von Personen, die das Buch vorführte, wurden in ihren Urbildern wiedererkannt. Es war ein richtiger Sport, dem Dichter hinter seine Schliche zu kommen, wo er etwa durch Zusammenlegung mehrerer wirklicher einen Menschen seines Romans gewonnen hatte. Eine ältere Dame erschien in einer Kaffeegesellschaft, legte das Buch auf den Tisch und sagte triumphierend: »Ich hab' es dreimal gelesen;

jetzt hab' ich sie alle heraus.« – Es ist dem Bürger schon nicht angenehm, überhaupt in einem Schriftwerk aufzutauchen. Er hat ein – nur zu begründetes – Mißtrauen gegen den Dichter, dem er doch nur ein Vorwand ist, eine Gelegenheit, sich selbst zu offenbaren. Was aber in diesem Fall den Ärger, die Entrüstung und die Schadenfreude zu hellen Flammen anfachte, das war der Stil des Romans, das war der Ton, in dem hier Lübeck vorgetragen war. Die ungeheure Sachlichkeit der Darstellung, die verblüffende Sicherheit der Zeichnung, die mit zwei wunderbar zusammengestellten Eigenschaftswörtern einen ganzen Menschen umriß, die niemals schwankende Beherrschung der gewaltigen Stoffmassen, kurz, die unbeirrte Überlegenheit des Dichters über seinen Stoff wurde als Überheblichkeit empfunden; das göttliche Lächeln, mit dem der Schöpfer seine Geschöpfe auf ihren Irrwegen begleitete, erschien wie anmaßender Spott; man fühlte sich von oben herab behandelt, man fühlte sich erniedrigt, man fühlte sich verhöhnt. [...]

II

Helmut Koopmann
Buddenbrooks
Die Ambivalenz im Problem des Verfalls
(1962)

Schon der Roman *Renée Mauperin* der Goncourt, der die Komposition der *Buddenbrooks* so entscheidend beeinflußte[1], handelt vom Verfall. Auch dieser Roman begann nicht direkt mit der Schilderung der décadence, sondern auf ganz ähnliche Weise wie die *Buddenbrooks*: nämlich mit der Schilderung eines scheinbar zufälligen Gesprächs zwischen zwei Menschen. Erst nach geraumer Zeit wird klar, daß der salonmäßige Ton dieses Gespräches geschickt über den Ort hinweggetäuscht hatte, an dem das Gespräch stattfand. Denn überraschenderweise spielte sich dieses Gespräch nicht in einem Salon ab, sondern die Partner dieses Gespräches badeten unterdessen in der Seine. Aber es ging auch hier, ebenso wie in den *Buddenbrooks*, zugleich um mehr als eine beliebig-banale Konversation; es ging auch um mehr als ›Renée Mauperin‹. Um was es geht, zeigt erst der Hinweis auf den eigentlichen Titel des Romans – und der lautet *La Jeune Bourgeoisie*. Auch hier handelte es sich um die Darstellung eines größeren, umfassenderen Geschehens mit Hilfe einer Beschreibung höchst detaillierter und, wie es zunächst schien, völlig unwichtiger Geschehnisse. Wichtig werden sie erst unter doppelter Optik, wenn man sie nämlich in den Verlauf des ganzen Romans, oder, umgekehrt, das folgende gesamte Geschehen in die Deskription anfänglich scheinbar nebensächlicher Ereignisse miteinbezieht.

Nicht etwa ›La Jeune Bourgeoisie‹, sondern »ein vom Verfallsgedanken überschattetes Kulturgemälde«, so hat Thomas Mann die *Buddenbrooks* in Bezug auf das Thema des Verfalls selbst bezeichnet.[2] Er gibt an, die »Psychologie des Verfalls« von Nietzsche, dem »trunkenen Vitalisten«[3], gelernt zu haben, äußert aber gleichzeitig, daß er Nietzsches Verkündigung, »es gäbe ›keinen festen Punkt außerhalb des Lebens, von dem aus über das Dasein reflektiert werden könnte, keine Instanz, vor der das Leben sich schämen könnte‹«[4], nicht ernst nahm. Eine Untersuchung über die Ambivalenz im Problem des Verfalls einer Familie wird also nicht nur Formen und Phasen des Verfalls zu zeigen haben, sondern wird gleichzeitig auch darstellen müssen, daß es im Roman durchaus jenen festen Punkt außerhalb des Lebens gibt, den Nietzsche leugnete. Ihn nachzuweisen bedeutet, daß wir nicht nur den Einflüssen Nietzsches, sondern auch denen Schopenhauers nachgehen müssen, der Nietzsches These, es gebe keine Instanz außerhalb des Lebens, dadurch zu widerlegen sucht, daß er im Menschen selbst, der – nach Thomas Mann – »mit seinem geistigen Teil außerhalb des Lebens und über ihm steht«[5], die Instanz gefunden zu haben glaubt, von der her das Leben durchaus kritisiert werden kann, ja, vor der das Leben, um mit Nietzsches Worten zu reden, sich sogar schämen muß.[6]

Aber die Verfallspsychologie Nietzsches und der humane Pessimismus Schopenhauers sind für Thomas Mann nur Stufen auf dem Wege zu einer Philosophie der Dekadenz. Etwas Ähnliches kannte bereits die (deutsche) Romantik; diese beschäftigte sich zwar noch nicht mit dem Problem der Dekadenz, aber diese entdeckte bereits eine Ambivalenz im Problem der Krankheit. Schon die mystische Dichtung eines Novalis kennt den Wechsel der Vorzeichen, schon sie entdeckt in der Krankheit zugleich die Entbindung positiver Kräfte und vermag umgekehrt, die gesunde Normalität, das gewöhnliche und Alltägliche als eine eigentliche Form der Krankheit zu begreifen. Krankheit wird zur gesteigerten Form der Gesundheit, Gesundheit und Normalität hingegen zu schlechthin nur depravierten Formen des Lebens.[7]

Nietzsche verbindet dann das Problem der Krankheit mit dem des Verfalls. Auch Nietzsches Psychologie des Verfalls beschreibt die Krankheit nicht als eindeutiges Phänomen: demonstriert er doch die kühne These des Novalis, daß Krankheit die eigentlichere Form der Gesundheit sei, auf seine eigene höchst persönliche Weise an sich selbst! Krankheit, so erkennt er, ist zwar nicht die Ursache, stellt aber doch eine notwendige Bedingung des Genies dar. Denn dieselbe Krankheit, die sein Leben zerrütten und schließlich vernichten wird, steigert es zugleich auch ungeheuer und auf geradezu ungeheuerliche Weise – »wovon«, so kommentiert Thomas Mann, »auch teils glückliche, teils fatale Reizwirkungen auf eine ganze Epoche ausgehen sollen«.[8]

Die von der Romantik inaugurierte Umwertung der Begriffe von Gesundheit und Krankheit impliziert für Nietzsche bereits eine Ambivalenz des Urteils, eine freie Verfügbarkeit über die Gegenstände seiner Kritik, die eindeutige Bewertungen nicht mehr zuläßt: Das Negative wechselt beständig ins Positive hin-über.[9] Thomas Mann hat versucht – das zeigte schon die Unter-suchung über die Problematik der doppelten Optik – die Ambi-valenz und Doppeldeutigkeit der Nietzscheschen Kritik an Bei-spielen zu belegen: Er erwähnt die »eine Seite über den ›Tri-stan‹«, die vor Begeisterung vibriert: dieser Äußerung, »kurz vor dem Ende seines geistigen Lebens«[10] stehen schon zur Zeit des Basler Aufenthalts Äußerungen »von so distanziertem Scharfblick« gegenüber, »daß sie über anderthalb Jahrzehnte hin den ›Fall Wagner‹ vorwegnahmen«.[11]

Was sich ändert, ist also offensichtlich die Akzentuierung, die »Schreibweise«[12], und die eine Seite über den ›Tristan‹ ist nur ein Beispiel, das wie viele andere nichts anderes zu demonstrie-ren scheint, als daß »sein größtenteils aphoristisches Werk in tausend farbigen Fazetten spielt«.[13] Die Perspektiven wechseln überraschend, auch gegensätzliche Standpunkte können bezo-gen werden, denn sein Verhältnis zu den Gegenständen seiner Kritik ist »im Grunde ohne bestimmtes Vorzeichen«.[14] Thomas Mann nun hat versucht, die ständig wechselnde Optik Nietz-sches dennoch zu begründen, indem er sie als Äußerungen einer Leidenschaft zu bestimmen versucht, die gleichbleibend noch hinter den gegensätzlichsten Aussagen steht, wenngleich das nicht dazu beiträgt, den Eindruck der Beliebigkeit, ja den der Willkür seiner Urteile zu widerlegen.

Nietzsches Leidenschaft, so erkennt Thomas Mann, äußert sich in seinem Hang zur Psychologie; seine psychologische Lei-denschaftlichkeit ist es denn auch, die ihn immer wieder einen ständig wechselnden Standort beziehen läßt. Bei aller Einheit-lichkeit seines schriftstellerischen Gestus und seiner inneren Haltung ist es ein »Wahrzeichen der ganzen inneren Wider-sprüchlichkeit dieses großen und leidenden Geistes«[15], daß sein psychologischer Hang, hinter dem der Wille zur Erkenntnis steht, sich am Leben versucht, an dem höchst widerspruchsvol-len Ereignis, das – nach Nietzsche – dem Erkennen ja konträr gegenübersteht. Seine These, daß der Wille den Intellekt, nicht aber der Intellekt den Willen hervorbringt, verbindet ihn mit seinem Lehrmeister Schopenhauer.[16] Die ganze innere Wider-sprüchlichkeit Nietzsches aber zeigt sich darin, daß er, »dem das Leben weit höher als das Erkennen« gilt[17], sich dennoch der Psychologie und damit dem Intellekt verschreibt.

Eine Widersprüchlichkeit anderer Art resultiert aus der besonderen Form der Nietzscheschen Psychologie, die zwischen beidem – dem Leben und dem erkennenden Intellekt – noch auf die Weise zu vermitteln trachtet, daß sie dem Intellekt, der eigentlich Produkt des Willens, d. h. des Lebens ist, doch wieder eine das Leben bestimmende Funktion zuschreibt.

Die ambivalenten Möglichkeiten zu erkennen: das ist die Aufgabe seiner Psychologie. Sie, ein Instrument des Intellekts, wird dabei gleichzeitig zum »Anwalt des Lebens«[18], und sie dient dem Leben, indem sie alle ›guten‹ Triebe verdächtigt und die ›bösen‹ als die eigentlich vornehmen und lebenserhöhenden Triebe ausruft.[19] Das Ergebnis ist »die Umwertung aller Werte«; dazu gehört auch, daß die Krankheit, der eigentlich ›böse‹ Trieb, als vornehm und lebenserhöhend, d. h. als die eigentlichere Form der Gesundheit erkannt wird, umgekehrt die Gesundheit als niedrige und verachtenswerte Form des Lebens gebrandmarkt wird.

Die inneren Widersprüche dieser Thesen zu erkennen, ist nicht schwer. Thomas Mann hat selbst auf zwei Irrtümer der Nietzscheschen Philosophie aufmerksam gemacht: zunächst auf die »geflissentliche Verkennung des Machtverhältnisses zwischen Instinkt und Intellekt auf Erden«.[20] Thomas Mann begründet die Absurdität der Nietzscheschen Forderung, »das Leben gegen den Geist zu verteidigen«[21], mit der »philosophischen Augenblickssituation« Nietzsches[22], die die »Korrektur rationalistischer Saturiertheit« zu leisten hatte, und es ist bezeichnend für Thomas Manns Technik der doppelten Optik, die er selbst von Nietzsche übernommen hat, daß er auf eine sofort notwendige »Gegen-Korrektur« verweist. Der zweite Einwand Thomas Manns richtet sich gegen die Behauptung Nietzsches, daß Leben und Moral Gegensätze seien. In Wahrheit gehören sie, nach Thomas Mann, zusammen: »Ethik ist Lebensstütze, und der moralische Mensch ein rechter Lebensbürger«.[23]

Doch nicht so sehr der Nachweis einzelner Irrtümer ist relevant als vielmehr die Tatsache der bei Nietzsche bereits inaugurierten Umwertung aller Werte und die Konsequenzen, die Thomas Mann hieraus in Bezug auf die *Buddenbrooks* zieht. Krankheit wird für ihn zur Folge des Verfalls, Verfall aber umgekehrt auch zur Folge der Krankheit, oder genauer: der Verfall äußert sich als Krankheit und in den Formen der Krankheit.

Doch Thomas Mann übernimmt in der Beschreibung des Verfalls einer Familie nicht nur die Nietzschesche Psychologie des Verfalls, er zeigt nicht nur in der Nachfolge Nietzsches, daß mit dem Verfall zugleich auch die Freisetzung positiver, wenn auch nicht weniger vergänglicher Kräfte verbunden ist, sondern unterwirft die Nietzscheschen Thesen noch seiner dichterischen Kritik. Nietzsche konnte noch feststellen: »Das Leben hat keinen Richter über sich«[24] – und auf den ersten Blick hin scheinen die *Buddenbrooks* nichts anderes als die Richtigkeit dieser These demonstrieren zu wollen. Aber eine eingehendere Untersuchung wird zeigen, daß es – zumindest im Roman Thomas Manns – doch eine Instanz gibt, vor der das Leben sich zu schämen hat. Diese Instanz nun ist freilich nicht die Moral, es ist nach Thomas Mann, der sich hier als getreuer Schüler Schopenhauers zeigt, ja diesen gegen Nietzsche ausspielt, der Mensch selbst. Was die Ambivalenz im Problem des Verfalls betrifft, so geht unsere These nun dahin, daß in den *Buddenbrooks* zwar der Verfall einer Familie beschrieben wird, daß aber bestimmte Figuren feste Punkte jenseits des verfallenden Lebens zu gewinnen suchen, von denen her eine Kritik des Lebens gewagt werden kann. In der ironischen Kritik selbst, in der Kunst und im Bewußtsein der menschlichen Freiheit, so behaupten wir, versuchen sich Instanzen jenseits des Lebens zu äußern, das zum Verfall führt; die Figuren, die diese Positionen vertreten, sind Hanno, Kai und Thomas Buddenbrook. *Wie* sie sie vertreten, wird im folgenden zu zeigen sein.

Das Phänomen des Verfalls stellt sich, soviel wurde schon deutlich, also als ein überaus komplexes Phänomen dar; Verfall bedeutet zugleich Niedergang und Steigerung. Die wachsende biologische Dekadenz der Familie Buddenbrook wird zugleich eine geistige Verfeinerung und eine Sublimation des Seelischen zeitigen, die ihren Zenit am Ende des Romans haben wird. Das impliziert für den Erzählstil bereits eine Doppeldeutigkeit und Hintergründigkeit der Aussage, eine Flexibilität der Form, die zugleich die Symptome des Verfalls wie auch eine Freisetzung anderer, gegenläufiger Tendenzen statuieren soll.

Doch die Ambivalenz des Verfalls zeigt sich nicht nur darin, daß dem biologischen Niedergang am Ende des Romans eine Steigerung im Seelisch-Geistigen korrespondiert; sie zeigt sich auch darin, daß dem äußeren Höhepunkt zu Beginn des Romans zugleich ein innerer Tiefpunkt oder doch zumindest Ansätze zu einem inneren, verborgenen Niedergang entsprachen. Das machte bereits unsere Untersuchung über das einführende Kapitel deutlich[25] sie zeigte, daß das Übel, metaphorisch gesprochen, bereits an die Tür eines Hauses klopfte, das geradezu als das Symbol der Integrität und des Wohlstandes der Familie Buddenbrook gelten sollte. Die Konstatierung des beginnenden inneren Niederganges bei aller äußerlichen Festlichkeit des Lebens wird erreicht durch die behutsame Schilderung beginnender Uneinigkeiten und Differenzen innerhalb der Familie. Der Brief Gottholds, die Charakteristiken der beiden Söhne durch Hoffstede, die verborgene Selbstcharakteristik Christians, beginnende Differenzen zwischen Köppen und dem Konsul, vor allem aber Hinweise auf das Schicksal der früheren Bewohner des Hauses in der Mengstraße verwiesen auf die beginnende Morbidität dieser äußerlich so gefestigten Familie. Alle diese Hinweise aber waren nicht Beschreibungen momentaner Situationen, waren nicht Anzeichen einer an sich unveränderlichen, statisch erlebten Wirklichkeit, sondern Symptome von Vorgängen, die zwar nur augenblickhaft in den Vordergrund gerückt worden waren, die aber insgeheim weiterlaufen: der Streit um das Haus ist nicht mit diesem Briefe Gottholds und den Reaktionen der beiden Hausherren abgetan; die Charakteristika der beiden Söhne Thomas und Christian sind bleibende Charakteristika und werden nur noch prägnanter. Die Differenzen im gesellschaftlichen Bereich sind grundsätzlicher, nicht vorübergehender Art, und das Schicksal der früheren Bewohner des Hauses wird nicht als abgeschlossenes Ereignis berichtet, sondern als ein Prozeß, der jetzt noch andauert. »Traurig, dieses Sinken der Firma in den letzten 20 Jahren«, bestätigt der Konsul. Genau 20 Jahre liegen auch zwischen dem äußeren Höhepunkt Thomas Buddenbrooks und dem Ende der Familie, nämlich zwischen der Heirat mit Gerda – die der Firma eine Mitgift von 300.000 Kurantmark sichert, die aber zugleich auch eine Heirat mit einer Frau ist, deren »aparte Erscheinung nicht viel biologische Tüchtigkeit versprach«[26] – und dem Tod Hannos; noch im gleichen Jahre verläßt Gerda Lübeck, um nach Amsterdam zurückzukehren.[27]

Die Praxis des Erzählers, im »ersten Kapitel« wichtige Vordeutungen nicht an Hand bereits abgeschlossener Vorgänge zu geben, sondern den Verfall einer fremden Firma als einen übertragbaren progressiven Prozeß zu beschreiben, der noch andauert und vor allen Dingen auch noch weiter andauern wird, machte darauf aufmerksam, daß die Fäden der Handlung nun nicht noch einmal neu geknüpft werden müssen, wenn weiterhin vom Verfall der Buddenbrooks die Rede sein wird. Der folgende II. Teil sprengt nun vorerst die Grenzen der bisherigen Erzählung, oder, genauer gesagt, er weitet sie aus, indem er nachträglich das einbezieht, was eigentlich vor dem im ersten Kapitel beschriebenen Geschehen liegt. Das ist nicht nur ein technischer Kunstgriff des Erzählers in den *Buddenbrooks*, sondern findet sich auch in *Königliche Hoheit* und im *Zauberberg*: In allen drei Romanen wird die Vorgeschichte nachträglich mitaufgenommen; hier, in den *Buddenbrooks*, dadurch, daß die Familiengenealogie an Hand der Familienchronik mitgeteilt wird, in *Königliche Hoheit* dadurch, daß das Staatswesen der Grimmburger und seine Vergangenheit ganz allgemein geschildert werden, im *Zauberberg* dadurch, daß die Vorgeschichte Hans Castorps nachgeholt wird, sein Vorleben, aber auch das der Eltern, der Großeltern usw. beschrieben wird. Hier, in den *Buddenbrooks*, beginnt der Konsul die Berichte des Vaters seines Vaters zu lesen, also desjenigen, der mit der Niederschrift der Familienchronik als erster begonnen hatte.

Doch der scheinbar für den Gang der Geschichte so nebensächliche Regreß auf die Anfänge der Familie ist mehr als nur ein, wenn auch recht interessanter, so doch im Grunde belangloser Hinweis auf Längstvergangenes und Längstgeschehenes. Er bedeutet vielmehr, daß der Anfang der Geschichte nicht erst im Jahre 1835 liegt, sondern bereits im 16. Jahrhundert. Beschreibt der Roman den Verfall, so die Chronik den Aufstieg der Familie Buddenbrook. Der chronikalische Bericht über die familiäre Vergangenheit stellt ein Gegenbild zur beschriebenen Gegenwart, ja sogar noch zu der zu beschreibenden Zukunft dar, das den Verfall der Familie Buddenbrook, der jetzt schon in scheinbar nebensächlichen Dingen begonnen hat, noch augenfälliger macht.

Die zufällig herausgegriffenen Partien der Chronik lassen das deutlich erkennen. Ein Mitglied der Familie Buddenbrook steigt zum Ratsherrn der Stadt Grabow auf; »ein fernerer Buddenbrook«[28], der Gewandschneider nämlich, kommt nach Rostock. Der stellt in der Genealogie schon einen gewissen Höhepunkt dar, denn er hatte »sich sehr gut gestanden«, und diese Worte sind mit ausdrücklichem Hinweis auf die Bedeutsamkeit dieses Vorfahren unterstrichen. Noch mehr: er hat »eine ungemeine Menge von Kindern« gezeugt – das allerdings steht in mehr als krassem Widerspruch zur künftigen Ehe zwischen Thomas und

Gerda. Der Großvater des Konsuls schließlich prägte den Satz, der einer Familienideologie schon nahe kommt: »Mein Sohn, sey mit Lust bei den Geschäften am Tage, aber mache nur solche, daß wir bey Nacht ruhig schlafen können« – ein Satz, den der Verfasser offensichtlich getreulich beherzigte, der aber Thomas nicht geringes Kopfzerbrechen verursachen wird.

Die Beschäftigung des Konsuls mit der Vergangenheit geschieht fast zufällig, erfolgt aber dennoch, so sieht der Leser, aus einer gewissen inneren Notwendigkeit heraus. Der Anlaß war eine eigene Eintragung, die der Konsul unter den »heiteren Abschluß«[29], »das letzte Festgedicht Jean-Jacques Hoffstedes« setzt. Doch das ist nicht ohne Bedeutung; denn das Festgedicht ist nicht nur jetzt, zur Zeit der Eintragung des Konsuls, ein »heiterer Abschluß«; das Gedicht des Stadtpoeten ist in der Tat *der* letzte heitere Abschluß der Chronik, denn was folgt, ist der Bericht über eine immer trüber werdende Zukunft. Die beginnt schon jetzt mit der Eintragung des Konsuls über die Geburt Klaras, die zwar zu einer ›herben Schönheit‹[30] heranwachsen wird, die aber auch schon bald einen bedenklichen Mangel an Vitalität zeigt; ihr Mann, Pastor Tiburtius, entlarvt sich als gerissener Erbschleicher. Thomas wird sich zwar noch stärker als sein Vater mit der Chronik abgeben, aber eigentlich auch nichts Positives mehr eintragen. Die Eintragungen Tonys bleiben nicht minder suspekt, und Hanno schließlich wird einen Strich unter die Chronik ziehen, denn »ich glaubte, es käme nichts mehr«.[31] Außer Verfall und Tod kommt wirklich nichts mehr.

Versuchen wir, den Prozeß des Verfalls, soweit er sich als biologischer Niedergang vollzieht, noch ein wenig genauer zu beschreiben. Er wird offensichtlich dadurch geschildert, daß ständig gleiche oder doch gleichgeartete Situationen nacheinander beschrieben, zugleich aber auch immer stärker akzentuiert werden. Der Verfall vollzieht sich zunächst nicht in großen Ereignissen, sondern in geringfügigen Einzelheiten. So läßt bereits der Konsul Buddenbrook beim Lachen »seine ziemlich mangelhaften Zähne sehen.«[32] Aber auch Thomas' Zähne sind schon in seiner Jugend »nicht besonders schön, sondern klein und gelblich«.[33] Als er stirbt, stirbt er auf groteske Weise »an einem Zahne [...] Senator Buddenbrook war an einem Zahne gestorben, hieß es in der Stadt. Aber, zum Donnerwetter, daran starb man doch« nicht![34] Was Hanno schließlich angeht, so stellt Herr Brecht fest, »um meine Zähne sähe es jämmerlich aus, fast alle seien schon unterminiert und verbraucht, nicht zu reden von denen, die ausgezogen sind«. »So steht es jetzt«, erkennt auch Hanno, »und womit werde ich beißen, wenn ich dreißig, vierzig Jahre alt bin? Ich habe gar keine Hoffnung ...«[35]

Das ist freilich nur *ein* Symptom des Verfalls. Aber es ist nicht unerheblich, bedeutsamer als Chiffre denn als Faktum, denn es deutet auf den biologischen Niedergang. Auch Tadzios Zähne im *Tod in Venedig* waren – und das war vom Erzähler ausdrücklich bemerkt worden – sehr schadhaft, und auch sie verweisen zusammen mit anderen Motiven auf die Todesverbundenheit des ›bleichen und lieblichen Psychagogen‹.[36] Der Hinweis des Erzählers gehört durchaus in die »symbolisierende Herausarbeitung gegenständlicher Motive«[37], die die Novelle zum »modernen Totentanz« werden läßt.

In den *Buddenbrooks* melden sich früh auch andere Zeichen der biologischen Dekadenz, wenn auch zuerst oft in spaßhaftgrotesker Form. So konnte Christian schon als Kind »die gesamte Familie auf die sonderbarste Weise erschrecken«[38], und zwar dadurch, daß er das Verschlucken eines Pfirsichsteines simulierte. Das schien nur ein Auftritt voll »alberner Komik« zu sein und ohne jede weitere Bedeutung für das Gesamtgeschehen. Aber später, nach seiner Rückkehr aus dem Ausland, kann er wirklich nicht mehr schlucken: »Sonderbar ... Nein, da ist nichts zu lachen; ich finde es furchtbar ernst. Mir fällt ein, daß ich vielleicht nicht schlucken kann, und dann kann ich es wirklich nicht ... der Hals, die Muskeln ... es versagt ganz einfach ... Es gehorcht dem Willen nicht, wißt ihr. Ja, die Sache ist: ich wage nicht einmal, es ordentlich zu wollen«.[39] Tony empfindet diesen Auftritt als lächerlich, Thomas schweigt. Allein die Konsulin erkennt hinter den von Christian so beschriebenen Symptomen eine medizinische Ursache: »Das sind die Nerven, Christian«.[40] Dieser Auftritt wird sich noch oft wiederholen, aber auch andere Anzeichen der biologischen Dekadenz werden sich vermehren: Christian wird unfähig zu jeder geregelten und normalen Arbeit; Halluzinationen stellen sich ein. »Passieren *dir* vielleicht solche Dinge«, fragt er Thomas, »daß, wenn du in der Dämmerung in dein Zimmer kommst, du auf deinem Sofa einen Mann sitzen siehst, der dir zunickt und dabei überhaupt gar nicht vorhanden ist?!«[41] Das scheint eine frühe Vorwegnahme des Erlebnisses zu sein, dessen Adrian Leverkühn teilhaftig wird. Auch dem begegnet ein Mann auf dem Sofa, der in der Dämmerung auf ihn wartet und der auch nichts anderes als eine Ausgeburt der eigenen Phantasie zu sein scheint.[42] Dostojewskis

Brüder Karamasoff mögen dazu das Vorbild abgegeben haben; bereits dort findet sich der Bericht über eine halluzinatorische Erscheinung gleicher Art.[43]

Aber nicht nur Christian leidet an nervösen Erkrankungen: auch Thomas konstatiert den fatalen Zustand seiner Nerven infolge angestrengter Tätigkeit[44]; niemandem in der Stadt entgeht der Widerstreit zwischen »seiner beweglichen, elastischen Aktivität und der matten Blässe seines Gesichtes«.[45]

Am eindeutigsten spiegelt sich die Dekadenz als biologischer Verfall der Familie in den Beschreibungen des Todes, den ihre einzelnen Mitglieder erleiden. An Altersschwäche stirbt keiner, nicht einmal die alte Madame Antoinette Buddenbrook: »Eines Tages aber, ganz plötzlich, hatte sich ein halb unbestimmbares Leiden eingestellt«[46], das »mit unbegreiflicher Schnelligkeit Entkräftung herbeiführte«. Mit dieser Krankheit »änderte sich gleichsam die Physiognomie des Hauses« – nicht nur für den Augenblick, sondern, so erkennt der aufmerksame Leser, für immer. Denn »etwas Neues, Fremdes, Außerordentliches schien eingekehrt, ein Geheimnis, das einer in des anderen Augen las; der Gedanke an den Tod hatte sich Einlaß geschafft und herrschte stumm in den weiten Räumen«.[47] Aber nicht so sehr die Tatsache des Todes der alten Frau ist entscheidend als vielmehr die Reaktionen der Familie. Johann Buddenbrook begleitet immer wieder sein erstauntes Kopfschütteln mit einem »kurios! kurios!«[48], und dieses ›kurios‹ wird geradezu zu seinem Lieblingswort. Und kurz darauf hört auch Johann Buddenbrook sen. auf zu zeichnen und kehrt sich mit seinem »kurios« zur Wand.[49] Sein Tod bedeutet für das Geschäft noch keine Baisse, nur »Eines schmerzte den Konsul: daß nämlich der Vater nicht mehr den Eintritt seines ältesten Enkels ins Geschäft hatte erleben dürfen, der schon um Ostern desselben Jahres erfolgte«.[50] Dem Tod des alten Buddenbrook entspricht also noch der Eintritt eines neuen Mitgliedes der Familie! Nur Gotthold beginnt schon zu liquidieren – ein scheinbar belangloses Ereignis.

Der Tod des Konsuls Johann Buddenbrook macht zuerst »die beständige Zersplitterung« des Firmenvermögens deutlich. Darüber hinaus zeitigt dieser Tod bei Christian »Unruhe und Verlegenheit«; Thomas scheint das Ereignis »gelassen« hinzunehmen.[51] Doch die scheinbare Gelassenheit Thomas' anläßlich des Todes seines Vaters korrigiert der Erzähler nachträglich: »Sicherlich hatte Thomas mit reizbarerer Schmerzfähigkeit den Tod seines Vaters erlebt, als etwa sein Großvater den Verlust des seinen«.[52] Seine Sensibilität verrät sich »gerade dann, wenn niemand des Verstorbenen erwähnt oder gedacht hatte«; »dann [...] füllten sich, ohne daß sein Gesichtsausdruck sich verändert hätte, langsam seine Augen mit Tränen«.[53]

Nicht nur, daß die Reaktionen der Überlebenden immer differenzierter und sensibler werden – auch die Beschreibungen des Todes werden ausführlicher, eindeutiger, furchtbarer. Denn die alte Konsulin etwa ist »trotz der christlichen Lebensführung ihrer letzten Jahre«[54] eigentlich nicht bereit zu sterben; um so grauenhafter wird ihr Kampf mit dem Tode. »Gräßliche Merkmale der beginnenden Auflösung zeigten sich«.[55] Aber immer wieder beginnt der Kampf mit dem Tode aufs neue; doch »war es noch ein Kampf mit dem Tode? Nein, sie rang jetzt mit dem Leben um den Tod«[56], bis im fahlen Lichte eines Herbstmorgens der Kampf endet. An ihren Tod aber knüpfen sich unmittelbar schwere Differenzen zwischen Thomas und Christian um den Verkauf des Hauses in der Mengstraße. Während der alte Buddenbrook das Faktum des Todes noch als Kuriosität empfand, die nicht in sein Weltbild hineinpaßte, erkennt Hanno, vor dem Tode stehend, daß sich mit seinem Atem »ein anderer fremder und doch auf seltsame Art vertrauter Duft vermengte«.[57] Es ist nichts anderes als der Duft des Todes; daß er Hanno bereits vertraut erscheint, kennzeichnet den Progreß der décadence, an deren Ende überall der Tod steht. Als Thomas stirbt, betrachtet Hanno »mit einem abgestoßenen und grüblerischen Gesichtsausdruck« den Sterbenden, »als erwarte er den Duft, den fremden und doch so seltsam vertrauten Duft«[58] wieder zu verspüren.

Der Tod des Senators, umständlich und auf nicht weniger schreckliche Art als der Tod seiner Mutter beschrieben, bedeutet das Ende der Firma Buddenbrook. Auch die Konsulin Buddenbrook, geborene Stüwing, stirbt; »auch ihr, die ehemals die Ursache so heftigen Zwists in der Familie gewesen war, hatte der Tod seine sühnende und verklärende Krone aufgesetzt«.[59] Das erste Kapitel des XI. Teiles stellt geradezu eine Totenliste auf. Der Tod Hannos schließlich wird in der Form der medizinischen Diagnose seiner Krankheit berichtet: sie war »in außerordentlich schrecklicher Weise vor sich gegangen«[60], die eine Schilderung durch einen direkten Bericht offenbar nicht mehr zuließ. Gerda verläßt die Stadt, und Tony konstatiert: »... Thomas ist nicht mehr, und [...] niemand ist mehr«.[61] Ihre Betrachtungen über Vergangenheit und Zukunft betreffen eigentlich nur noch das erstere, denn über die Zukunft war nun »fast gar nichts zu sagen«.[62]

Hand in Hand mit dem biologischen Verfall geht der wirtschaftliche Verfall; er wird auf nicht weniger auffällige Weise dargestellt. Wieder liegt der Zenit des wirtschaftlichen Wohlstandes am Beginn dessen, was beschrieben wird, oder genauer: noch vor dem Beginn, nämlich zu einer Zeit, als Gotthold noch nicht abgefunden worden war und sowohl die Liaison des Konsuls mit der Tochter des reichen Kröger wie auch die seines Vaters mit Antoinette Duchamps, »dem Kinde einer reichen und hochangesehenen Hamburger Familie«[63], das Betriebskapital um nicht weniges vermehrt hatte. Zugleich mit den Gästen anläßlich der Einweihungsfeier des Hauses in der Mengstraße aber war schon jener Brief Gottholds gekommen, der nicht nur genauere Auskunft über die bereits vorhergegangene Schwächung des Betriebskapitals gibt, sondern zugleich ein erster Versuch ist, auf illegitime Weise die Firma zu einem »Verlust von Hunderttausenden«[64] zu zwingen. Die Attacke Gottholds ist ein erstes Anzeichen dafür, daß der wirtschaftliche Ruin von außen kommen wird, von entfernter stehenden Familienmitgliedern her, die dem Kapital der Firma Buddenbrook mehr Geld entziehen werden, als es wirtschaftliche Fehlschläge vermögen.

Der wirtschaftliche Verfall beginnt also offensichtlich erst an der Peripherie. »In jenen Tagen herrschte Sonnenschein im Hause Buddenbrook, wo in den Kontoren die Geschäfte ausgezeichnet gingen«[65], heißt es anfangs. Alle Verluste stellen zu dieser Zeit noch keine ernsthaften Fehlschläge dar. Die Übersicht, die der Konsul über seine Finanzen gibt[66], zeigt vielmehr, daß das ursprüngliche Vermögen der Buddenbrooks (»900.000 Mark Kurant«) vor dem bzw. mit dem Kauf des Hauses in der Mengstraße entscheidend geschwächt wurde: es beträgt jetzt, zu Beginn der Handlung, 520.000 Mark Kurant. Prüfen wir aber die anderen Geschäftsberichte, die von dem jeweiligen Inhaber der Firma Buddenbrook gegeben werden und die querschnittartig den Stand der Dinge zu den verschiedenen Phasen des (wirtschaftlichen) Verfalls festhalten, so machen wir eine noch erstaunlichere Entdeckung: das Vermögen der Buddenbrooks verringert sich nun nicht etwa fortlaufend, sondern vergrößert sich sogar. Es beträgt nach dem Tode des Konsuls »abgesehen von jedem Grundbesitz in runder Zahl 750.000 Mark Kurant«.[67] Zwar gilt schließlich das Vermögen Thomas' für »stark reduziert und die Firma im Rückgange begriffen«[68]: aber sein Vermögen beträgt dennoch, den Grundbesitz allerdings eingerechnet, »mehr als sechsmal 100.000 Mark Kurant«[69], und bis zu seinem Tode wird sich nicht mehr viel daran ändern.

So vollzieht sich der wirtschaftliche Verfall nicht eigentlich als finanzieller Ruin. Zwar ist die erste Mitgift Tonys verloren, die Einbuße der Firma »gelegentlich des Bremer Konkurses im Jahre 51«[70] ein empfindlicher Schlag, das Pöppenrader Geschäft eine Enttäuschung; Tiburtius erwies sich als Erbschleicher. Aber der wirtschaftliche Verfall zeichnet sich nicht in geldlichen Verlusten ab, sondern vielmehr darin, daß die Geschäfte immer stärker stagnieren. Das nimmt allerdings schon früh seinen Anfang: schon der Konsul teilt Tony mit, daß »Strunck & Hagenström [...] eminent im Wachsen begriffen sind, während unsere Angelegenheiten einen allzu ruhigen Gang gehen«.[71] Das werden sie nun immer stärker tun, bis schließlich zum »pfennigweise Geschäftemachen«.[72] Das steht in mehr als krassem Gegensatz zu den Geschäften des Großvaters: in der Tat sieht Thomas seine Ahnung, »daß der Kaufmann eine immer banalere Existenz wird, mit der Zeit ...«[73] schließlich an sich selbst verwirklicht.

Thomas' Geschäfte stagnieren, weil er nicht bereit ist, Usancen zu machen und statt dessen wenigstens den Anschein äußerer Respektabilität wahrt. Doch Thomas kämpft an der falschen Front: zur gleichen Zeit erfüllt sich der Verfall als innerer, sittlicher Verfall. Werden die ›dehors‹ auch nach außen gewahrt: im Innern fallen sie. Das zeigt sich in der Versöhnung des Konsuls mit Gotthold nicht weniger als im ersten, bereits erwähnten Betrugsversuch Thomas' und Christians. Der ist zunächst nur ein mißlicher Streich, der bald vergessen wird; die Begeisterung Christians fürs Kasperltheater eine kindliche Vorliebe; die Feindschaft zwischen den Kindern der Buddenbrooks und denen der Hagenströms nur eine unliebsame Randerscheinung. Aber allen diesen Belanglosigkeiten entsprechen in der Folgezeit Ereignisse, die eine überraschende Parallelität mit ihnen aufweisen, die aber zugleich Potenzierungen der kleinen Malheurs darstellen, wirkliche Fehlschläge und Unglücksfälle, die als Querschnitte innerhalb des Flusses der Erzählung den Progreß des inneren Verfalls nicht länger verbergen können. Der Vorliebe Christians fürs Puppentheater entspricht nicht nur, daß Christian später im Theater der Stadt einer Schauspielerin ein Bukett überreicht; sie präfiguriert seinen Hang zum Theater überhaupt, zu einer Institution also, der in den Augen der Familie Buddenbrook nichts als Verachtung gebührt. Aber noch mehr: auch Hanno bekommt ein Puppentheater, »das seit dem ›Fidelio‹ beinahe sein einziger Gedanke gewesen war«.[74] Der Feindschaft zwischen den Kindern der Buddenbrooks und denen der Hagenströms entspricht der Haß der Erwachsenen: »Er muß es geradezu auf mich persönlich abgesehen haben; wo er kann«, bemerkt der Senator, »behindert er mich«.[75] Die Söhne Hagenströms wiederum werden Hanno verfolgen. Dem Betrug Christians und Thomas' mit Herrn Stuht entspricht das mißliche Geschäft mit Pöppenrade, der Auflehnung der Köchin, die von der Konsulin noch erfolgreich bekämpft wird, die Verteilung der Mobilien unter den Dienstboten nach dem Tode der Konsulin, ohne daß Tony es verhindern kann. Auch Kesselmeyers Prognose »Verläßt sich noch irgend jemand auf die bewußte Firma?«[76], die, als sie geäußert wird, durchaus noch als ungerechtfertigt erscheint, deutet auf nicht ganz ehrliche Geschäfte des Senators vor.

Auf eigentümliche Weise werden sich im Laufe der Erzählung dann die Fronten verkehren: Tony, anfangs die »kleine Königin«, die es nicht unterlassen kann, Wehrlose zur Zielscheibe ihres Spottes zu machen, wird immer mehr zum Ziel hämischer Bemerkungen von seiten der Schwestern Buddenbrook. Familiäre Zwistigkeiten dokumentieren den inneren Niedergang so gut wie die verfehlten Liaisons Tonys und ihrer Tochter: die Respektabilität der Buddenbrooks sinkt bis zur Kriminalität.

Vermag Thomas noch die innere Morbidität mit einer »eleganten, beinahe martialischen Toilette«[77] zu verdecken, so ist Christian, Zentralfigur im progressiven Prozeß der Dekadenz, am wenigsten in der Lage, »die Fassung zu bewahren«.[78] Er ist Schauspieler, von jenem frühen Auftritt in der Schule an bis zur endgültigen Abreise nach Hamburg, und spiegelt in grotesker Verzerrung den Niedergang einer Welt, die nicht von den Gewinnen, sondern vom Kapital lebt: »Ich kann gar nicht sagen, wie gern ich im Theater bin! Schon das Wort ›Theater‹ macht mich geradezu glücklich ...«[79] Für ihn wird die verfallende Welt zur Bühne großen Stils und der Prozeß des Verfalls selbst zum komödiantischen Aufzug, der nicht mehr endet, sondern sich immer nur noch grotesker und skurriler gebärdet. So spielt er, sich selbst vergessend, mit, und das Leben um ihn herum liefert unendlichen Stoff zur Imitation. Wo dieser fehlt, verschafft die Phantasie großzügig Ersatz: »Ich könnte stundenlang stillsitzen und den geschlossenen Vorhang ansehen [...]

Dabei freue ich mich wie als Kind [...].«[80] Christian hat auf seine Weise »hinter die Kulissen« gesehen – »ja, jetzt bin ich da ziemlich zu Hause, das kann ich sagen«. Er findet stets einen neuen Auftritt, ist nie um eine Gebärde oder eine schnell improvisierte Geste verlegen und fühlt sich in allen Rollen wohl. Für ihn ist das Leben zum Theatrum Mundi geworden – er ist zugleich Zuschauer und Mitspieler in einem Spiel, das für ihn immer toller wird, bis es sich langsam verfratzt und in melancholischer Beschämung endet.

Es ist im Grunde genommen nicht nur der Verfall einer einzelnen Familie, der hier beschrieben wird – es ist der Verfall einer Welt und eines ganzen Jahrhunderts. Die Gesellschaft, die anfangs im Hause der Buddenbrooks versammelt ist, ist die Gesellschaft des 19. Jahrhunderts, ihr Aufbruch am Ende des festlichen Abends präfiguriert das Ende des Romans: die Abreise Gerdas ins heimatliche Amsterdam und damit das Ende der Familie Buddenbrook. Die Equipagen poltern davon, »Konsul Buddenbrook stand, die Hände in den Taschen seines hellen Beinkleides vergraben, in seinem Tuchrock ein wenig fröstelnd, ein paar Schritte vor der Haustür und lauschte den Schritten, die in den menschenleeren, nassen und matt beleuchteten Straßen verhallten [...].«[81] Zwar wird sich die elegante Welt noch öfters im Hause der Buddenbrooks versammeln, aber immer weniger zahlreich erscheinen, wiederum bis zur letzten kleinen Familienzusammenkunft. Auch die findet, wie die festliche Versammlung zu Beginn, im Herbst statt, und wie damals »rauschte der Regen in den halbentblätterten Bäumen der Allee. Manchmal kamen Windstöße und trieben ihn gegen die Fensterscheiben [...]«.[82] Diesmal wird nichts mehr eingeweiht; man war zusammengekommen, »um Abschied zu nehmen, Abschied von Gerda Buddenbrook«, die, so scheint es fast, bereits abgereist sein könnte, denn die Anreden der Versammelten werden von ihr nicht mehr beantwortet. Das Einweihungsfest des Anfangs ist zu einer Totenfeier geworden: »Tom, Vater, Großvater und die anderen alle! Wo sind sie hin? Man sieht sie nicht mehr [...].«[83]

So endet auch das Jahrhundert. Die Buddenbrooks sind, so individuell sie auch im einzelnen beschrieben sein mögen, Repräsentanten einer verfallenden Welt; ihr Niedergang hat paradigmatische Bedeutung. Die Revolution wird dank Johanns Eingreifen zwar zum komischen Ereignis – die eigentliche Erschütterung der Welt des 19. Jahrhunderts aber zeigt sich darin, daß die Hagenströms zur »Crème der Gesellschaft« werden. Dem entspricht die ständig zunehmende gesellschaftliche Isolation der Buddenbrooks, zu der der Bankrott Grünlichs und die Usancen Weinschenks ebenso beitragen wie die mésalliance Thomas'. Die Prophezeiung der Köchin Trina – »Warten Sie man bloß, Fru Konsulin, dat duert nu nich mehr lang, denn kommt 'ne annere Ordnung in de Saak, denn sitt *ick* doar up'm Sofa in' sieden Kleed [...]«[84] – erfüllt sich zwar nicht de facto, aber die andere Ordnung kommt in der Tat; eine neue gesellschaftliche Hierarchie steigt auf, im gleichen Maße, wie die gesellschaftliche Position der Buddenbrooks mehr und mehr untergraben wird, bis die Dienstbotin eines Tages zu Christian sagen wird: »Je, Herr Buddenbrook! [...] Ich hab' nu keine Zeit für Ihnen!«[85] Die Verurteilung Weinschenks bedeutet den Verlust der »letzten, ehrenvollen Position«.[86] Schon die letzte gemeinsame Weihnachtsfeier »gemahnte, wie der Senator ganz vorsichtig seinem Onkel Justus zuflüsterte, ein wenig an die eines Leichenbegängnisses«[87] – der Verfall einer Familie wird, metaphorisch gesprochen, zum Leichenbegängnis eines ganzen Jahrhunderts. Wie nach einem Tag aus dem Leben des kleinen Hanno »der matte Morgen starr und fahl ins Zimmer blickte«[88], so folgt auf die Tage der Buddenbrooks ein neues Zeitalter – die alte Welt, die die Welt des 19. Jahrhunderts war, hat »ganz und gar die Contenance«[89] verloren.

Wir nannten verschiedene Aspekte des Verfalls – den biologischen, den wirtschaftlichen, den inneren und den gesellschaftlichen Niedergang. Das darf jedoch nicht den Verdacht erwekken, als vollziehe sich dieser Niedergang auf voneinander getrennten Ebenen – was geschieht, geschieht mehr oder weniger gleichzeitig. Der Prozeß des Verfalls ist ein überaus komplexer Prozeß: biologischer, wirtschaftlicher, sittlicher und gesellschaftlicher Verfall sind simultane Vorgänge, die dem Gesetz von Ursache und Wirkung eigentlich nicht mehr unterworfen sind. Grünlichs Bankrott ist ein signifikantes Beispiel, um die gegenseitige Verflochtenheit der Verfallserscheinungen zu demonstrieren. Es handelt sich bei Grünlich um einen »Zusammenbruch auf allen Seiten«[90]; auf allen Seiten aber beginnt auch der Niedergang der Buddenbrooks. Grünlichs Bankrott bedeutet für die Buddenbrooks den endgültigen Verlust des Erbes Tonys. Fast zur gleichen Zeit hat die Firma Buddenbrook 80 000 Mark bei einem Bankrott in Bremen verloren. Zugleich ist Thomas gefährlich erkrankt – zugleich wird auch Christians »im

Geschäft nicht immer hinreichendes Interesse«[91] bekannt, und die Genugtuung der drei unverheirateten Schwestern Buddenbrook über Tonys Scheidung. Das Befinden des Konsuls macht weite Kurreisen nötig. Zugleich mehren sich im Elternhaus »die Besuche von Pastoren und Missionaren«.[92] Kurz darauf stirbt Johann Buddenbrook, und das Grundstück am Burgtor wird verkauft.

Immer wieder wird der Prozeß der Dekadenz in seinen einzelnen Stationen querschnittartig zu beobachten sein, selbst zu Anfang, als der Verfall der Familie an der Peripherie, im scheinbar belanglosen Außenbezirk beginnt, an Gestalten, die gerade noch oder auch schon nicht mehr zur Familie gehören. Vom Zentrum der Familie her gesehen ist die Auseinandersetzung mit Gotthold eine unangenehme Angelegenheit, die aber nur das Vorfeld familiärer Sicherheit berührt.[93] Nicht viel anders war die Liquidation Gottholds, ja schon die mésalliance mit der geborenen Stüwing, mit dem Laden, zu bewerten. Aber schon der Bankrott Grünlichs – zwar für die Familie Buddenbrook auch noch ein peripheres Unglück – ist bereits ein nicht zu übersehender Hinweis, daß ein Verhängnis näherrückt. Das Netz des Unglücks zieht sich nun im folgenden immer dichter und konzentrischer um die Firma Buddenbrook zusammen, und wenn auch nur am Rande berichtet wird, daß die Firma Buddenbrook beim Fallissement einer Frankfurter Großfirma »mit einem Schlage die runde Summe von 20.000 Talern Kurant«[94] verliert, so ist nur noch scheinbar ein Ereignis am Rande berichtet – in Wirklichkeit ist das ein entscheidender Schlag gegen die Firma Buddenbrook direkt. Thomas selbst erkennt schließlich, »daß eins zum andern kommen soll«.[95] Klaras Tod entlarvt die Erbschleicherei Tiburtius'. Geschehen auswärts »große Dinge«[96], so ist für die Buddenbrooks fast immer ein Verlust damit verbunden. Familiäre Feste wie die Feier des hundertjährigen Bestehens der Firma sind fast unausweichlich mit Unglück verbunden. Mögen die Geschäfte, wenn auch langsam, noch gehen, so verstärkt sich in Thomas doch die Vorstellung, »sein Glück und Erfolg sei dahin«.[97] Thomas erkennt das als »innere Wahrheit«; sie gründet sich nicht auf äußere Tatsachen, aber sie wird für ihn eine immer stärkere Geltung gewinnen.

So vollzieht sich der Prozeß des Verfalls in parallelen Situationen, die aber ihrerseits ständige Steigerungen vorhergehender darstellen. Den Situationen eignet trotz ihres Ereignischarakters etwas Statisches, sie lassen sich leicht aus dem umgebenden

Geschehen heraussondern und jeweils zueinander in Beziehung setzen; sie stellen immer wieder einzelne Gipfelpunkte dar, an denen sich der Prozeß der décadence, ihr jeweiliger Stand besonders deutlich ablesen läßt. Darüber hinaus gibt es Spiegelungen des Vorgangs des Verfalls, Abbilder von Ereignissen, die oft nur in ihren Reflexionen gezeigt werden.

Vor allem die Randfiguren reflektieren getreulich das Geschehen. Die drei Schwestern Buddenbrook sind so gut wie Hoffstede und der bereits erwähnte Gosch sehr sicher reagierende Barometer, was den Stand des Verfalls angeht. Groblebens Predigt über den Tod anläßlich der Taufe Hannos mag als Kuriosum gelten, aber seine düsteren Prophezeiungen – »Wi müssen all tau Moder warn, tau Moder ... tau Moder ...«[98] – scheinen treffender und richtiger zu sein als die Gratulationen anderer. Eine ähnlich fatale Prophezeiung stellt das »Sei glöcklich, du gutes Kind« der Sesemi Weichbrodt dar; fallen diese Worte, dann kann der Leser sicher sein, daß ein neues Unheil nicht fern ist: nicht nur die Taufe Hannos, sondern auch die Ehen Tonys erreichen genau das Gegenteil dieses Segenswunsches.

Am eindringlichsten aber spiegelt Tony den Prozeß des Verfalls: sie partizipiert an ihm, hat aber doch auch eine Sonderstellung inne, die sie befähigt, mit seismographischer Genauigkeit den Prozeß der décadence zumindest für den Leser zu statuieren. Der Grund liegt in der ständig durchgeführten Identifikation ihres Schicksals mit dem Schicksal der Familie, oder, genauer, mit dem Schicksal der Firma. Als Person bleibt sie auf eigentümliche Weise stets außerhalb des eigentlichen Geschehens; als personifiziertes Gewissen der Firma kontrastiert sie dieses um so genauer, denn sie opfert geradezu ihren personalen Bereich zugunsten der Firma, diesem ›geheiligten Begriff‹. Auf ihren Vorschlag hin wird Thomas am 100. Jahrestag der Gründung mit dem gerahmten Grundsatz der Vorväter überrascht. Da ihr persönlicher Beitrag zur Regeneration der Familie – ihre beiden Ehen – gescheitert ist, vermag sie sich um so leichter überpersonal als Repräsentantin ihrer Familie zu begreifen: die Ehe ihrer Tochter mit Weinschenk ist *ihre* dritte Ehe[99], und am Schluß des Romans bekennt *sie* sich vor allen anderen zu Hanno: »Ihr wißt nicht, wie sehr ich ihn geliebt habe ... mehr als ihr alle«.[100]

Der Erzähler betont immer wieder den besonderen Charakter dieser Figur, die nicht Person genug, um Gestalt, und wiederum zuviel Person ist, um nur Chiffre zu sein. So wird die Wahl Thomas' zum Senator nicht direkt, sondern durch das Medium Tony geschildert. Und wie die Wahl Thomas' zum Senator im Kleinen, so spiegelt sich auch der Prozeß des Verfalls im Großen in Tony. Denn dieser Verfall vollzieht sich nicht nur faktisch in den Formen von Parallelität und Steigerung als äußerer Prozeß, sondern zugleich und wesentlich in der Projektion Tonys als innerer Vorgang. Ihr Maßstab ist der Satz des Gewandschneiders zu Rostock, ihr beständiger Versuch einer familiären Restauration allerdings eine Maßnahme, die ständig mißlingt. Das Ungenügen der Wirklichkeit gegenüber dem Familienideal des Gewandschneiders verleiht aber auch ihren Versuchen einen nicht unironischen Hintergrund; sie bleibt bei aller Repräsentanz Person genug, sich über das mißliche Geschick der Familie, das auch ihr eigenes geworden ist, und ihr eigenes Geschick, das zum Geschick der Familie wurde, immer wieder auf ironische Weise hinwegzusetzen. Denn sie eignet sich, und das mag immerhin als positiver Akt gewertet werden, die Ironie des Schicksals an, von der sie redet; sie ironisiert sich selbst, wenn sie von sich als von einem dummen Weib spricht[101], und wählt von früh an die Verspieltheit als Schutz einem Schicksal gegenüber, das keinen anderen Ausweg zu gestatten scheint. Das sich Frei-spielen vom ›Ernst des Lebens‹ dokumentiert nicht ein im negativen Sinn verspieltes Verhältnis zur Umwelt und zur Tradition, sondern den Versuch, eine Katastrophe zu überspielen. Sie ist es auch, die immer wieder zwischen einander feindlich gegenüberstehenden Personen zu vermitteln sucht.

Doch der ständig zunehmende Verfall hatte am Ende des Romans auch ohne die Hilfe Tonys *die* Gestalten näher zueinandergeführt, die sich anfangs geradezu feindlich gegenüberstanden: Thomas und Christian. Thomas und Christian waren einander schon im einführenden Kapitel als kontradiktorisch entgegengesetzte Gestalten gezeigt worden: Thomas als »solider und ernster Kopf«, Christian als »Tausendsassa«. Der Prozeß des Verfalls aber entindividualisiert diese so prägnant beschriebenen Gestalten und nähert sie einander an; immer stärker werden sie nur Rollenträger, und erst aus der Retrospektive können sie die geheimen Beweggründe ihres Handelns einander offenbaren. So konstatiert Thomas, Christian gegenüber: »Ich bin geworden, wie ich bin [...], weil ich nicht werden wollte wie du. Wenn ich dich innerlich gemieden habe, so geschah es, weil ich mich vor dir hüten muß, weil dein Sein und Wesen eine Gefahr für mich ist [...] ich spreche die Wahrheit«.[102] Doch im Hinblick auf das

Problem des Verfalls, der hier nicht mehr nur als biologischer Verfall begriffen werden darf, ist Thomas durchaus geworden, wie sein Bruder ist. Beide verbringen schließlich zusammen ihre Ferien in Travemünde[103], an einem Ort also, der vom Ferienparadies Tonys zum letzten Refugium Hannos werden wird.

Es bleibt zu klären, inwiefern der Verfall einer Familie unserer These gemäß auch die Freisetzung positiver Werte bedeutet. Wir nannten bereits die Figuren, die, jede auf ihre Weise, den Verfall als einen Komplex differenzierter Möglichkeiten erleben: es sind Thomas, Hanno und Kai. Alle drei widerlegen, jeder auf seine eigene Weise, die These der Psychologie ermüdenden Lebens, daß es »keinen festen Punkt außerhalb des Lebens« gäbe[104], »von dem aus über das Dasein reflektiert werden könnte«.

Nicht nur der Leser erkennt die zunehmende Rollenhaftigkeit der Existenz Thomas Buddenbrooks: Thomas erkennt sie schließlich sogar selbst. Er begreift die Individualität seiner Existenz immer mehr als widernatürliche Beschränkung seiner eigentlichen Existenz, aus der allein der Tod ihn erlösen kann.

Diese Umwertung des Todes, die diesen nicht mehr als negativ zu bewertendes Ende des Lebens, sondern als positiven Beginn eines neuen Lebens erkennt, das eigentlich erst Freiheit, Heimkehr und Geborgenheit bedeutet, vermag Thomas Buddenbrook allerdings nur einmal, in einer eigentümlich euphorischen Verfassung zu vollziehen, ähnlich wie Hans Castorp im Schneekapitel die entscheidenden Einsichten nur träumerisch realisiert, um sie noch am gleichen Abend wieder zu vergessen. Schon nach vierzehn Tagen befiehlt Thomas, das Buch, das ihm diese neue Bewertung des Todes ermöglichte, und das nun »unordentlicherweise in der Schublade des Gartentisches umherliege«[105], auf Nimmerwiedersehen erneut in den Bücherschrank einzustellen. Es handelt sich bei diesem Buch, so erfahren wir, um den zweiten Teil »eines berühmten metaphysischen Systems«[106], um Schopenhauers *Die Welt als Wille und Vorstellung*.

Die Beschreibung des Schopenhauer-Erlebnisses steht nicht isoliert, sondern fällt zwischen zwei außerordentlich wichtige Ereignisse: die Erkenntnis Thomas', daß er einzig da, wo es sich um »Furcht und Leiden handelte, des Vertrauens und der Hingabe seines Sohnes gewiß sein konnte«[107], und der Niederschrift seines Testamentes.

Das Erlebnis Schopenhauers regelt, wenn auch nur für kurze Zeit, das Verhältnis Thomas Buddenbrooks zum Leben, indem es das zum Tode regelt. Diese Regelung erwies sich als notwendig, weil Thomas zwar von Jugend an den »letzten Dingen die weltmännische Skepsis seines Großvaters entgegengebracht«[108] hatte, weil er selbst aber mit zunehmendem Alter ein metaphysisches Ungenügen an der »behaglichen Oberflächlichkeit« des alten Johann Buddenbrook empfindet. Denn die historische Beantwortung der Frage nach der Unsterblichkeit – die, »daß er in seinen Vorfahren gelebt habe und in seinen Nachfahren leben werde«[109] – erwies sich deshalb als unzulänglich, weil es keine Nachfahren gab, in denen er hätte weiterleben können. Der bedauerliche Regreß auf die eigene Individualität aber erweist sich dem träumerisch-überwachen Bewußtsein Thomas' als Weg, »etwas anderes und besseres zu sein«[110] – insofern nämlich, als er die Individualität nun als Hindernis, »Gefängnis! Schranken und Bande überall«[111] erkennt; den Tod entsprechend als orgiastische Form der Freiheit, als Ende eines Wahns, als ungeheures Glück. Denn der Tod erscheint ihm als die »Aufhebung eines Irrtums, – einer Verirrung«[112], nämlich der Verirrung der Individuation; er zerreißt den »Schleier der Maja«[113], der das Wesen der Dinge verstellte und die Wahrheit auf vexatorische Weise verhüllte; er entlarvt die Vorstellung vom Unterschied zwischen Ich und Du als Fiktion und den Glauben, daß mit dem Tode die Existenz des Ich beendet sei, als illusionären Schein. Nicht das Ich wird enden, so erkennt Thomas Buddenbrook, sondern die falsche Vorstellung des Ich von der Welt. Das Durchschauen des principium individuationis bedeutet zugleich, daß ihm die »Unterschiedlosigkeit von Ich und Du«[114] bewußt wird. Infolgedessen löst sich die Frage nach dem Fortleben nach dem Tode für Thomas so, daß er nicht in Hanno, »einer noch ängstlicheren, schwächeren, schwankenderen Persönlichkeit«[115], sondern in einer anderen, in einem »von diesen Menschen, deren Anblick das Glück des Glücklichen erhöht und die Unglücklichen zur Verzweiflung treibt«[116], fortan existieren wird. So gelingt es ihm momentan, das Empirische und Vergängliche in eine geheimnisvolle Sicherheit zu bringen und in einer den Tod überdauernden Zeitlosigkeit zu bewahren.

Im Roman selbst demonstrieren jedoch bereits die folgenden Ereignisse die Fragwürdigkeit der Einsichten, die das Erlebnis

Schopenhauers zeitigte. Thomas Buddenbrook »gelangte niemals wieder dazu, einen Blick in das seltsame Buch zu werfen, das so viele Sätze barg«[117], weil der Verfall schon zu weit fortgeschritten ist, als daß Thomas Buddenbrook, »gehetzt von fünfhundert nichtswürdigen und alltäglichen Bagatellen«[118], sich einer ernsthaften Beschäftigung mit dem Werk Schopenhauers unterziehen könnte. Auf der ungewissen Suche nach Gewißheit zieht er sich auf tradierte Wahrheiten zurück: »Er ging umher und erinnerte sich des einigen und persönlichen Gottes, des Vaters der Menschenkinder ...«[119] Aber auch die protestantische Theologie vermag Thomas, der »hie und da mit einer kleinen Neigung zum Katholizismus gespielt hatte«[120], seine Fragen nicht zu beantworten, weil sie nicht Verständnis, »sondern nur gehorsamen Glauben beanspruchte«[121] und nur eine zu allgemeine und formelhafte Antwort auf Thomas' höchstpersönliche Fragen darstellte. Aus der Unordnung und Ungeklärtheit seiner ewigen Angelegenheiten entspringt schließlich der Wunsch, wenigstens die irdischen zu ordnen: Thomas Buddenbrook macht sein Testament.

Der äußere Gang der Ereignisse nach dem Schopenhauer-Erlebnis stellt eine Folge dieses Erlebnisses dar, die dieses auch auf der Ebene der äußeren Geschehnisse widerlegt. In diesen dürfen wir jedoch nicht die Erklärung suchen; diese ergibt sich bereits aus der Art des Erlebnisses.

Die Verneinung der Idee der fortlaufenden Generation, die eine Verewigung des Individuums in der Kette der Nachkommen zu garantieren schien, resultierte nur aus der Furcht Thomas' »vor einer endlichen historischen Auflösung und Zersetzung«.[122] Das hatte ihm sogar noch die Ehe, die ja nichts anderes war als »Sorge um ein rühmliches, historisches Fortbestehen in der Person von Nachkommen«[123], als verfehlt und unsinnig erscheinen lassen. Das Erlebnis Schopenhauers war die Folge dieser Einsichten. Das bedeutet aber, daß dieses Erlebnis nur scheinbar eine Befreiung aus dem von Thomas selbst konstatierten Niedergang darstellte: in Wirklichkeit war das Erlebnis Schopenhauers eine Flucht, Folge des Verfalls und ein vorläufiger Höhepunkt im Progreß der décadence, der dem weiteren, zunehmenden Verfall nicht etwa durch gedankliche Einsichten Einhalt gebot, sondern ihn im Gegenteil nur noch stärker anbahnte. Die Flucht ins Metaphysische, die scheinbar logische und schlüssige Bewältigung der drohenden Individualisierung ist nur Ausdruck einer orgiastischen Freiheit des Individualismus und stellt nicht etwa dessen Überwindung dar.[124] Das Schopenhauer-Erlebnis ist nur ein Glied innerhalb des »Prozesses von Auflösung der Lebenszucht«[125], nicht etwa ein Weg, die Todesfurcht zu überwinden. Es steht im »Zeichen des romantischen Individualismus«[126], und das heißt für Thomas Mann, daß es im Zeichen des Todes steht. So wird für Thomas Buddenbrook dieses Ereignis, das den Tod überwinden sollte, schließlich zur Antizipation seines eigenen Todes. Der vollzieht sich für Thomas Buddenbrook freilich nun unter umgekehrten Vorzeichen, nicht als das »ungeheure Glück«[127], sondern als schmachvolles Ende. Er widerlegt endgültig das Erlebnis Schopenhauers.

Die Beschäftigung mit Schopenhauer bedeutete für Thomas Buddenbrook innerhalb des Prozesses des Verfalls den Versuch einer Befreiung, der dem Ende dieses Prozesses, dem Tode nämlich, noch positive Akzente abgewinnen sollte. Doch das vermochte nicht, dem Tod einen Sinn zu geben. Vom Ganzen her gesehen war sein Versuch der Überwindung der décadence nur ein Symptom der décadence selber, ja er wurde noch zum Wegbereiter des weiteren Verfalls. Es handelte sich hier im Grunde genommen nicht oder jedenfalls nicht nur um das Erlebnis Schopenhauers; »hier dachte freilich einer, der außer Schopenhauer auch schon Nietzsche gelesen hatte und das eine Erlebnis ins andere hineintrug, die sonderbarste Vermischung mit ihnen anstellte«[128]; und diese Vermischung hatte zur Folge, daß Thomas Buddenbrook zwar momentan, doch nicht grundsätzlich und für immer den Schopenhauerschen Ideen folgte.

Positivere Möglichkeiten zeitigt der Verfall einer Familie, der, wie wir bereits zeigten, zugleich der Verfall einer Welt – nämlich der des 19. Jahrhunderts – ist, »in einer noch schwächeren, schwankenderen Persönlichkeit«[129] als in Thomas, nämlich in Hanno. Zwar werden auch diese Möglichkeiten schließlich durch seinen Tod unfreiwillig widerlegt, aber sie bleiben als Intentionen und echte Möglichkeiten erhalten. Sie zeigen sich nicht in der Form der nächtlichen Ekstase, wie das Schopenhauer-Erlebnis, sondern als ständig vorgetragene Kritik am Verfall, die eine gewisse Freiheit garantiert und eine Position außerhalb des Verfalls immer wieder anstrebt und auch zeitweise wenigstens realisiert.

Hanno kritisiert vor allem die ihn beeinflussende Umwelt, besonders also die Schule: Das zeigte nachdrücklich das Kapitel über den einen Tag aus dem Leben des kleinen Hanno. Aber es handelt sich hier um mehr als nur um die kritische »Charakteristik der deutschen Mittelschule«[130], nämlich vielmehr um die kritische Auseinandersetzung mit der Gesellschaft und mit dem Leben schlechthin. Denn die Schule steht hier für nichts anderes als für das Leben selbst »in seiner höhnischen Härte und Gewöhnlichkeit«.[131] So wie die Kritik der Schule dem Ungenügen an ihr entspricht, aber auch dem Unvermögen, sich ihr anzupassen, so ist die darin implizierte Kritik am Leben der Versuch, eine Position der Schwäche zu einer Position der Stärke umzuwerten. Diese anklägerische Satire entspringt einem leidenden Kritizismus, einem »Ressentiment der Schwäche«[132], die das Leben »in Freiheit richtet« und zugleich an ihm auch zugrunde geht. Denn die Kritik der Gesellschaft, die zugleich eine Kritik des Lebens in der Nachfolge Nietzsches ist, setzt Kräfte frei, die das Individuum selbst dort noch steigern, verfeinern und sublimieren können, wo sie seiner »Lebensuntauglichkeit«[133] entspringen. Das Ziel dieser Kritik, das sich bricht »in dem sehr individuellen Medium, durch das sie geht«[134], ist nicht von melioristischen Tendenzen bestimmt: es handelt sich hier um die Darstellung »einer zarten Menschlichkeit, die sich das Leben, wie es ist, nicht bieten läßt«[135], vielmehr entgegen Nietzsches bereits zitierter Äußerung einen »festen Punkt außerhalb des Lebens« darstellt, eine Instanz, vor der das Leben sich schämen müßte.[136]

Im Bewußtsein Hannos stellt jener feste Punkt, jene Instanz, die eine Kritik der Wirklichkeit erlaubt, die Kunst, genauer die Musik dar; sie ermöglicht eine Kritik der menschlichen Existenz nicht nur als Ausdruck eines »Ressentiments der Schwäche«. Die Wirklichkeit erscheint um so schwärzer, je ungeheuerlicher die Freiheit ist, die die Kunst verleiht: »Es war über ihn gekommen mit seinen Weihen und Entzückungen, seinem heimlichen Erschauern und Erbeben, seinem plötzlichen innerlichen Schluchzen, seinem ganzen überschwenglichen und unersättlichen Rausche«.[137] Die Kunst erschließt ein Reich grenzenloser Möglichkeiten, das die Wirklichkeit nicht im entferntesten zu öffnen vermöchte. »Was geschah? Was wurde erlebt? Wurden hier furchtbare Hindernisse bewältigt, Drachen getötet, Felsen erklommen, Ströme durchschwommen, Flammen durchschritten?«[138] Sie werden von Hanno in der Tat durchschritten, und das phantasmagorische Reich der Kunst eröffnet Perspektiven, die um so großartiger sein können, als sie nur schöner Schein sind. Der Bereich der Kunst stellt für Hanno wirklich eine Befreiung dar, selbst wenn die Musik immer wieder »mit einem wehmütigen Zögern erstarb«.[139]

Aber wie das Schopenhauer-Erlebnis Thomas Buddenbrooks schließlich auf eine Antizipation seines Todes hinauslief, so ist auch für Hanno die Flucht in die Musik im Grunde genommen eine Flucht in den Tod. Nicht zufällig folgt direkt auf die Beschreibung der musikalischen Exerzitien Hannos der Bericht vom Verlauf der Typhus-Erkrankung: auch sie endet in Entgrenzung, Auflösung, Selbstaufgabe als Folge einer Lebensuntauglichkeit, die ihn, Hanno, aber wenigstens vorübergehend zu steigern vermochte.

Hannos Flucht in die Musik war eine Flucht in die Phantasie gewesen, in einen unwirklichen Bereich, dem er gleichwohl mehr Wirklichkeit zuzuschreiben geneigt gewesen war als der Wirklichkeit des Alltags. Mit der Beschreibung musikalischer Erlebnisse hatte der Erzähler zugleich eine schnöde Wirklichkeit verlassen und auch den Leser das Erlebnis der Musik durch das Medium Hanno erleben lassen, indem er dessen, Hannos, Empfindungen darstellte: »Es kam, gleichwie wenn ein Vorhang zerrisse, Tore aufsprängen, Dornenhecken sich erschlössen, Flammenmauern in sich zusammensänken [...] Die Lösung, die Auflösung, die Erfüllung, die vollkommene Befriedigung brach herein [...].«[140]

Die Überhöhung der Wirklichkeit durch die Phantasie erfolgte vor allem dort, wo die Gefährdung durch die Wirklichkeit des Alltags wuchs. In der Schulstunde beschäftigte Hanno sich damit, »daß er in Gedanken eine Orchester-Ouvertüre aufführte«.[141] Aber nicht nur Hanno erschloß sich den Bereich der Phantasie als ein Refugium, auch »Kai schrieb an seiner neuen literarischen Arbeit in dieser Stunde«.[142] Zeigte das Gespräch über die Ratenkamps zu Beginn des Romans bereits den Verfall einer Familie *vor* dem Niedergang der Familie Buddenbrook, so schildert der Bericht über Kai Graf Mölln eine Position *jenseits* des Verfalls. Wie die Erwähnung der Ratenkamps das beschriebene Geschehen in die Vergangenheit hin ausweitete, so öffnet die Beschreibung Kais Perspektiven der Zukunft. Sie zeigt Möglichkeiten eines neuen Aufstiegs, der mehr ist als nur eine Wiederholung des Schon-einmal-Geschehenen.

Kai ist Schriftsteller. »Aus der Neigung zum Geschichtenerzählen, die er als kleiner Junge an den Tag gelegt hatte, hatten sich schriftstellerische Versuche entwickelt [...].«[143] Zwar verbindet ihn mit Hanno, daß auch er den Bereich der Phantasie gegen die Wirklichkeit setzt: »Kürzlich hatte er eine Dichtung vollendet, ein Märchen, ein rücksichtslos phantastisches Abenteuer, in dem alles in einem dunklen Schein erglühte [...]«.[144] Auch bei ihm vermischen sich »die Urgewalten der Natur und der Seele auf eine besondere Art«[145], aber sie werden in der Geschichte gemeistert; sie sind nicht nur Visionen ekstatischer Entrücktheit wie die Hannos. Die liebende Anteilnahme Kais an Hanno darf nicht darüber hinwegtäuschen, daß es sich hier nicht um parallele Gestalten und parallele Erscheinungen handelt. Schriftstellertum ist für Kai nicht die Gefahr, als die er die musikalischen Orgien Hannos erkennt: »Sei nicht verzweifelt [...] Und spiele lieber nicht!«[146] Indem Kai die Geschichten meistert, meistert er auch die Wirklichkeit: sein Schreiben ist nicht Ausdruck seiner Verzweiflung, sondern eine legitime Aufgabe, die zugleich auch seinen Haß gegen den Schulbetrieb rechtfertigt und von einer positiven Position her als begründet erkennen läßt. Sein Leben außerhalb der Gesellschaft, seine Heimat vor den Toren der Stadt mag die Ortlosigkeit und Zweideutigkeit der künstlerischen Existenz, so wie sie Thomas Mann verstand, auf anschauliche Weise demonstrieren. Er ist Schriftsteller, nach der Definition Thomas Manns also Dichter und Essayist zugleich und verkörpert damit einen Typus, den Thomas Mann immer wieder als eine moderne, ja als einzig legitime Erscheinungsform des Dichters beschrieben hat. Natürlich ist der Schriftsteller Kai wiederum nicht mit dem Schriftsteller Thomas Mann identisch; aber er spiegelt als Schriftsteller die Erzählsituation des ganzen Romans. So wie seine Erzählung, sein Märchen, »geschrieben in einer innerlichen, deutsamen, ein wenig überschwenglichen und sehnsüchtigen Sprache von zarter Leidenschaftlichkeit«[147] abgeschlossen und vollendet ist, so ist auch der Roman *Buddenbrooks* an sein Ende gekommen.

Anmerkungen:

1. Über die Beziehungen Thomas Manns zum Roman *Renée Mauperin* der Goncourt siehe auch Hellmuth Petriconi, *Das Reich des Untergangs*, Hamburg 1958.
2. *Altes und Neues*, Frankfurt a. M. 1953, S. 568 (künftig: AN).
3. AN 569. Über Nietzsche als »Psychologe der Dekadenz« vgl. Paul Böckmann, Die Bedeutung Nietzsches für die Situation der modernen Literatur, in: *Deutsche Vierteljahresschrift*, 27, 1953, H. 1, S. 97.
4. Zitiert in AN 569
5. AN 569. Über Schopenhauer- und Nietzscheeinflüsse auch Erich Heller, *Der ironische Deutsche*, Frankfurt a. M. 1959, S. 9 ff.

6. Vgl. Anm. 4
7. Vgl. auch das Kapitel zum Begriff der doppelten Optik, in: H. Koopmann, *Die Entwicklung des ›intellektuellen Roman‹ bei Thomas Mann. Untersuchungen zur Struktur von »Buddenbrooks«, »Königliche Hoheit« und »Der Zauberberg«*, Bonn 1962, ³1980, S. 28 – 36.
8. *Neue Studien*, Stockholm 1948, S. 112 (künftig: NSt).
9. NSt 118
10. NSt 118
11. NSt 119
12. NSt 119
13. NSt 119
14. NSt 118
15. NSt 128
16. Vgl. NSt 128
17. NSt 128
18. NSt 128
19. NSt 128
20. NSt 135
21. NSt 136
22. NSt 136
23. NSt 137
24. NSt 135
25. Vgl. Anm. 7, S. 79 – 106.
26. Petriconi a. a. O. 159
27. Vgl. *Buddenbrooks*, Berlin 1951, S. 784 (künftig: BU).
28. BU 59
29. BU 60
30. BU 295
31. BU 543
32. BU 78
33. BU 18
34. BU 715
35. BU 773
36. Thomas Mann, *Erzählungen* , Frankfurt a. M. 1959, S. 525.
37. Benno v. Wiese, *Die deutsche Novelle von Goethe bis Kafka*, Düsseldorf 1956, S. 310.
38. BU 71
39. BU 273
40. BU 273
41. BU 600
42. Vgl. Thomas Mann, *Doktor Faustus* , Berlin 1949, S. 354 f.
43. Vgl. Dostojewski, *Die Brüder Karamasoff*, München 1957, 1036: Auch dort »saß plötzlich jemand«. »Wie und wann er hereingekommen war, das mag Gott wissen«; vorher war niemand da. Wirklichkeit und Halluzination sind auch hier nicht geschieden!
44. BU 323
45. BU 484
46. BU 72
47. BU 72
48. BU 74

49. BU 75
50. BU 78
51. BU 270
52. BU 269
53. BU 269
54. BU 582
55. BU 585
56. BU 589
57. BU 610
58. BU 709
59. BU 721
60. BU 787
61. BU 784
62. BU 786
63. BU 58
64. BU 52
65. BU 70
66. BU 81 f.
67. BU 265
68. BU 633
69. BU 633
70. BU 265
71. BU 182
72. BU 486
73. BU 279
74. BU 553
75. BU 64
76. BU 214
77. BU 483
78. BU 274
79. BU 271 f.
80. BU 272
81. BU 75
82. BU 785
83. BU 788
84. BU 184
85. BU 459
86. BU 547
87. BU 550
88. BU 731
89. BU 274
90. BU 232
91. BU 246
92. BU 251
93. BU 47 f.
94. BU 453
95. BU 444
96. BU 453
97. BU 484
98. BU 416

99. BU 463
100. BU 788
101. Vgl. BU 473
102. BU 601
103. Vgl. BU 690 ff.
104. AN 569
105. BU 685
106. BU 679
107. BU 675
108. BU 677
109. BU 677
110. BU 683
111. BU 682
112. Thomas Mann, *Adel des Geistes*, Stockholm 948, S. 355 (künftig: AG). Daß
»Thomas Buddenbrook sich dem Tod widerstandslos überläßt«, wie Inge
Diersen wahrhaben will (Inge Diersen, *Untersuchungen zu Thomas Mann*,
Berlin-DDR 1959, S. 38), ist eine etwas kühne Schlußfolgerung, die sich vom
Roman her nicht belegen läßt.
113. AG 354
114. AG 356
115. BU 682
116. BU 683
117. BU 685
118. BU 685
119. BU 685
120. BU 677
121. BU 685
122. Vgl.Thomas Mann, *Forderung des Tages*, Berlin 1930, S. 174 (künftig: FT).
123. Vgl. FT 174
124. Vgl. FT 174
125. Vgl. FT 174
126. Vgl. FT 175
127. BU 684
128. AG 366
129. BU 682
130. AN 568
131. AN 568
132. AG 569
133. AN 569
134. AN 568
135. AN 569
136. AN 569
137. BU 729
138. BU 778
139. BU 780
140. BU 779
141. BU 775
142. BU 775
143. BU 748 f.
144. BU 749

145. BU 749
146. BU 775
147. BU 749

Klaus Matthias
Renée Mauperin und *Buddenbrooks*
Über eine literarische Beziehung
im Bereich der Rezeption
französischer Literatur durch die
Brüder Mann
(1975)

I

In wechselnden Konstellationen hat Thomas Mann während verschiedener Lebensabschnitte die literarischen Einflüsse auf seinen ersten Roman namhaft gemacht. Das gute Dutzend essayistischer Texte von unterschiedlichem Gewicht, in denen solche Eindrücke und Einflüsse genannt werden, verteilt sich auf einen Zeitraum von fünf Jahrzehnten.[1] Zieht man zusammen, was im ganzen zur stimulierenden Lektüre des Autors der werdenden *Buddenbrooks* zählte, so ergibt sich ein merkwürdiges Ensemble literarisch-künstlerischer Bereiche, das in mehrfacher Hinsicht bedenkenswert ist. Denn das Gemisch aus skandinavischer und russischer, englischer und französischer Romanliteratur, repräsentiert durch Kielland, Lie, Bang und Jacobsen, Tolstoi und Turgenjew, Dickens und Thackeray, Flaubert und die Brüder Goncourt, denen sich zuweilen Andersen und Hamsun, Gontscharow, Puschkin und Gogol zugesellen, dieses Gemisch, dem obendrein Ibsen und Wagner, Schopenhauer, Nietzsche, Fontane und aus niederdeutscher Literatursphäre Fritz Reuter beigegeben sind, scheint darauf hinzudeuten, daß es mehr Kontaktnahme und Eingewöhnung in die angestrebte Kunst-Sphäre als die direkte Aneignung und schöpferische Umschmelzung bestimmter literarischer Erscheinungen, Stoffe, Kunstmittel gewesen sein mag, was der Rückblick über lange Zeitabschnitte hinweg dann zu bleibenden Konfigurationen zusammenraffte.

Gleichwohl geben die Texte selbst Hinweise zu differenzierter Analyse her. Wie Thomas Mann seine frühesten Erzählungen vor den *Buddenbrooks* vorerst als Leistung seiner vermeintlich einzigen artistischen Fähigkeit zur »psychologischen short story« (XI, 376), zur »Kurzgeschichte« (XIII, 137) einschätzte und als

67

seine Meister, in deren Schule er diese Erzählform erlernte, Maupassant, Tschechow und Turgenjew benannte (XIII, 137), sie abhob gegen die Vielzahl der sonst genannten Autoren, so gibt es in der eigenen Analyse der Einflüsse auf den Roman auch eine Staffelung in den allgemeinen Hintergrund und die beziehungsreichen Bereiche der künstlerischen Nähe. Der Brief von 1937 geht dabei am weitesten in der Aufzählung von »Lehrmeistern« gerade für den Roman- Autor, wenn sogar noch Hamsun, Puschkin und Gogol einbezogen sind (Briefe II, 23). Es ist ein anderes, wenn Thomas Mann für seinen »erzählenden Stil« überhaupt 1904 schon auch den Einfluß Andersens und Jacobsens benannte (X, 838). Aber man erfährt die entscheidenden Gruppierungen an anderen Stellen: die Texte von 1940 stufen am sorgfältigsten nach der jeweiligen Funktion der Autoren und Werke, die auf die *Buddenbrooks* gewirkt haben. *On myself* nennt an erster Stelle und als geradezu auslösende Kraft den Roman *Renée Mauperin* der Brüder Goncourt, von dem ihr junger deutscher Leser »auf eine produktive Art entzückt« war (XIII, 137). Eine Art Psychologisierung schöpferischer Phasen in der Entstehung des Romans bedeutet es, wenn nach dieser Stufe der Auslösung als eine zweite von grundlegender Wichtigkeit diejenige einer Orientierung an Vorbildern aufgewiesen wird, die die skandinavische Literatur hergab. »Geplant war«, heißt es bündig, »ein Roman von zweihundert bis zweihundertfünfzig Seiten nach dem Muster nordischer Familienromane« (XIII, 137). Das bestätigt und ergänzt der andere Text von 1940: »Mir hatte ein Roman durchschnittlichen Umfangs, eine Kaufmannsgeschichte nach skandinavischen Vorbildern vorgeschwebt; denn die Erzählungen der Norweger Kielland und Jonas Lie waren damals, um das Jahrhundertende, das für Deutschland eine Zeit literarischer Lufterneuerung aus dem Ausland, aus Frankreich, Rußland und dem Norden war, in Übersetzungen zu uns gelangt, und die alte Hansestadt Lübeck an der Ostsee, meine Heimatstadt, [...] war nach Kultur und Lebensstimmung dem skandinavischen Norden so verwandt, daß jene Muster mir bei meinem Vorhaben sehr nahelagen« (XI, 550). Die dritte Stufe in jenem psychologisierten Phasen-Ablauf der Roman-Genese stellt dann jene Situation dar, wo der *Buddenbrooks*-Autor gewahr wurde, daß sein Unternehmen in Umfang und geistiger Bedeutsamkeit weit über das geplante Maß hinaus sich auswuchs – jene von da an für Thomas Mann typisch werdende Erfahrung bei der Bewältigung der Roman-

Stoffe –, daß er »nach Stütze und Hilfe bei den Riesen des zu Ende gehenden Jahrhunderts suchte«; und so heißt es in *On myself* dann erläuternd weiter: »wie ich mich denn erinnere, damals besonders Tolstois *Anna Karenina* und *Krieg und Frieden* gelesen zu haben, um Kräfte zu schöpfen für eine Aufgabe, der ich mich nur in beständiger Anlehnung an die Größten gewachsen zeigen konnte« (XIII, 138). In *Lübeck als geistige Lebensform* hatte Thomas Mann 1926 den Kreis anders, weiter gezogen, er hatte akzentuiert: »Lektüre mußte die schwankende Kraft stützen: russische namentlich, die geliebte, westöstliche Turgenjews immer wieder, Tolstois moralistisches Gigantenwerk und Gontscharow« (XI, 381). – Bei manchen Gewichtsverlagerungen im einzelnen bleibt aber der entscheidende Drei-Stufen-Gang von auslösender Anregung, Orientierung am Muster und Unterstützung bei der Bewältigung der großen epischen Form durch diese immer neu genannten Autoren und Literaturbereiche entscheidendes Merkmal der Selbstanalyse.

Das weiter ausgreifende Resümee im Vorwort zur Plattenausgabe der *Buddenbrooks* von 1940 drängt die (den skandinavischen nachfolgenden) Eindrücke und Einflüsse so zusammen: »[...] vielfältige und heterogene Bildungserlebnisse: der französische Naturalismus und Impressionismus, der gigantische Moralismus Tolstois, die motivische Musik von Wagners *Nibelungen*, niederdeutsche und englische Humoristik, die leidenskundige Philosophie Schopenhauers, der dramatische Skeptizismus und Symbolismus Henrik Ibsens, strömen während zweijähriger Arbeit in das Werk ein« (XI, 550/551). Das ließe sich im einzelnen aus den verschiedenen Texten weiter belegen und auf den allgemeinen Hintergrund der Rezeptionssphäre um den wachsenden Roman wieder zurückführen. Es handelt sich in solchen Zusammenhängen um Einflüsse auf den »erzählenden Stil«, für die der Text von 1904 die Namenskette »Andersen, Jacobsen, Dickens, die Russen, Fontane« als Klammererläuterung bereithält (X, 838). Stilistische Verwandtschaft im engeren, eigentlich sprachlichen Sinne, für den nur die eigene Literatur eintreten könnte, beschwört Thomas Mann im Brief von 1937 (wobei er überraschenderweise Heine und C. F. Meyer[2] gar nicht erwähnt): »Von moderner deutscher Prosa ist in allererster Linie Fontane ins Gewicht gefallen. Sein Stil ist, etwa denjenigen Gottfried Kellers noch ausgenommen, der einzige der Epoche zwischen der Romantik und Nietzsche, der meinen eingeborenen artistischen Ansprüchen genügt. Nietzsche selbst ist natürlich nicht zu vergessen. Das Erlebnis seiner Kulturkritik und seines stilistischen Künstlertums ist ersten Ranges in meinem Leben, ebenso wie das metaphysische Genie und das europäische Essayistentum Schopenhauers« (Briefe II, 23). All dies gilt für den Thomas Mann nicht nur der *Buddenbrooks*, obwohl für diesen auch. Auffällig aber ist doch, daß in den *Betrachtungen eines Unpolitischen* (1918) gerade die »vollkommen europäisch-literarische Luft« als Charakteristikum des ersten Romans genommen, daß dieser als »von künstlerisch internationaler Verfassung, europäisierender Haltung, trotz des Deutschtums seiner Menschlichkeit« gekennzeichnet und der deutsche Einfluß als »wunderlich zusammengesetzt« in dieser eingeschränkten Form ausgewiesen wurde: »aus dem niederdeutsch-humoristischen und dem episch-musikalischen Element, – er kam von Fritz Reuter und Richard Wagner« (XII, 89). Eine drastische, pointierte Verkürzung möglicherweise, die mit den Absichten dieses immer wieder begrifflich entgleitenden, ernst-ironischen Buches zu tun haben mag. Das Zitat belegt im übrigen, wie aus Gründen der Konstellation ein Einfluß wie derjenige Fritz Reuters hochstilisiert werden konnte. Reuter wirkte auf die *Buddenbrooks* ja exakt im Sprachlichen, in der Beschwörung der niederdeutschen Sphäre Lübecks (die dann mit seiner Artikulation, mit dem Lautstand des Mecklenburger, nicht des Lübecker Plattdeutsch vorgenommen ist), daneben gerade noch atmosphärisch, da, wo das humoristische Wesen des Niederdeutschen dargestellt werden konnte auch und mehr aus der unmittelbaren Anschauung und Kenntnis, die der junge Thomas Mann in Lübeck selbst gewonnen hatte. Hier spielt eine Literarisierung solcher Erfahrungen unmittelbar mit: durch die Kenntnis von Reuters Werk *Ut mine Stromtid*, das die Mutter früh schon den Kindern vorlesend vermittelt hatte (s. *Lebensabriß* – XI, 108); *Das Bild der Mutter* – XI, 421; *Welches war das Lieblingsbuch Ihrer Knabenjahre?* – XIII, 56; *On myself* – XIII, 133). Wenn aber Thomas Mann spürbar durch den starken Eindruck, den dieses Buch – »der erste Roman, den ich kennenlernte« (XIII, 56) – auf das Kind schon machte, sich veranlaßt sah, die Rolle Reuters unter den Einflüssen auf die *Buddenbrooks* wiederholt hervorzuheben[3], so ordnet sich zum andern doch auch wieder Reuter der europäischen Literatur ein. Denn es ist die »niederdeutsche und englische Humoristik«, die einer der Texte von 1940 zusammensieht (XI, 551), und das weist auf das »England der Dickens und Thackeray«, das im Vierertakt der 1922 konzentriert genannten »literarischen Einflüsse, die an dem Buche mitwirkten«, nach »dem Rußland Tolstois« und noch vor »dem Norwegen Kiellands und Lie's« und dem Roman der Goncourts vorgeführt wird (X, 872). Gerade Dickens aber behauptet als Humorist eine Rolle für Thomas Mann, die eher über derjenigen Fritz Reuters anzusetzen sein dürfte – daß sie sehr verschwiegen bei Thomas Mann nachwirkt, daß er nirgends einen konkreten Anhaltspunkt für seine Kenntnis von Dickens-Werken gibt, darf darüber nicht hinwegtäuschen. – Das letzte Beispiel zeigt, daß Täuschungen sogar über die europäischen Autoren, die jenen allgemeinen Hintergrund in der Rezeptionssphäre um die entstehenden *Buddenbrooks* abgeben, hinsichtlich ihrer Relevanz für Thomas Mann möglich bleiben – anders ausgedrückt: daß man ihre wahre Bedeutung für ihn womöglich erst auf sehr indirektem Wege erschließen kann.

Die Thomas-Mann-Literatur nun hat da, wo sie sich mit den Einflüssen auf den Roman beschäftigte und dabei nicht jenen allgemeinen Hintergrund, sondern jene Bereiche der künstlerischen Nähe zu den *Buddenbrooks* in den Blick nahm, den Roman *Renée Mauperin* der Brüder Goncourt auffällig und einhellig vernachlässigt. Was die skandinavischen Familien- und Kaufmannsromane der Kielland und Lie stofflich und nur in engen Grenzen strukturell wie geistig-analytisch für die *Buddenbrooks* bedeuten, wie es sich für den Roman bei Bang und Jacobsen dagegen nur um vage atmosphärische Verwandtschaft, um allgemeine zeittypische (Dekadenz-Thematik), um Parallelen, nicht um Einflüsse handelt – das ist in eigenem Zusammenhang früher dargestellt worden.[4] Wie Tolstoi und (weniger) Turgenjew mit grundsätzlichen Anschauungen über Leben und Kunst, mit Kunstmitteln und jeweils besonderen Themen, Motiven, Charakteristiken auf den Autor der *Buddenbrooks* gewirkt haben, in Kongruenzen, Analogien und Reminiszenzen, findet sich in einem eigenen Kapitel inmitten einer Gesamtdarstellung der Beziehungen Thomas Manns zur russischen Literatur.[5] Die wenigen Stellen in der Thomas-Mann-Literatur dagegen, die den Goncourts überhaupt gewidmet sind, reproduzieren fast nur das, was Thomas Mann selbst in den acht Essay-Texten über ihren Einfluß auf den Roman vermerkt hat.[6]

Die Selbstzeugnisse Thomas Manns über seine Beziehung zu den Goncourts zeigen einige auffällige Besonderheiten. Denn die zentrale Rolle, die dem *Renée Mauperin*-Roman für die Konzeption der *Buddenbrooks* nach der eigenen Darstellung des späteren Thomas Mann zukommt, ist nicht von Anfang an aufgewiesen. Der erste Text, in dem überhaupt die Goncourts erwähnt werden – *Der französische Einfluß* (1904) –, spielt sogar ihre Bedeutung eher noch herunter. Während hier Wagners Wirkung auf den Kunsttrieb des jungen Romanautors betont, der Einfluß einer Reihe von Schriftstellern auf seinen »erzählenden Stil« (im Sinne eines »technischen Details«) genannt wird, hebt Thomas Mann bewußt die Franzosen davon ab: »wollte ich gar diejenigen hinzuziehen, die mich anregten, ohne mich zu beeinflussen, so würden immerhin ein paar französische Namen darunter sein, zum Beispiel Flaubert und die Goncourts« (X, 838). Der Tenor, der vexatorische Stil des ganzes Textes läßt erkennen, daß in dieser Zeit das Verhältnis zur französischen Geistigkeit mehrdeutig war, daß deshalb wohl die eigentümliche Abstufung des »anregen, ohne zu beeinflussen« vorgenommen wurde. Sie kommt später in dieser Frage nicht wieder, nicht mehr vor. Die *Betrachtungen eines Unpolitischen* aber noch üben Zurückhaltung – an jener wichtigen Stelle, wo die »künstlerisch internationale Verfassung« des Romans umschrieben ist, steht für Namen das einzige Wort Frankreich ein (XII, 89). Zum andern hatte Thomas Mann schon im *Versuch über das Theater* (1908) aus der Solidarität des Romanciers mit seinen offensichtlichen, kennerhaft aufgerufenen Vorgängern abgegrenzt: »Wenn Sarcey sagen durfte: ›Monsieur de Goncourt ne comprend absolument rien au théâtre‹, hat dann das Theater irgend etwas mit unserer Kunst zu tun?« (X, 23) – eine Äußerung, die der Absicht des Essays gemäß die Goncourts nicht für die Romankunst allein, sondern für die Literatur schlechthin (gegenüber der besonderen Theater-Sphäre) reklamiert, wobei ganz offenbleiben darf, ob Thomas Mann überhaupt das Drama der Goncourts *Henriette Maréchal* (1865) gekannt, von seiner Existenz gewußt hat. Das Stück war durch die Berliner »Freie Bühne« erstaufgeführt und von Fontane am 18. 11. 1889 in der *Vossischen Zeitung* in einer seiner reizvollen, frischen Rezensionen als zwar »relativ veraltet« und doch als »ausgezeichnetes Stück« (»Welch Esprit, welch Dialog, welche Technik!«) bewertet worden; es erschien 1890 in deutscher Übersetzung im Druck.[7]

Erst in den 20er Jahren folgen dann die drei Texte, in denen Thomas Mann den für die entstehenden *Buddenbrooks* entscheidenden Rezeptionsvorgang ausbreitet. So tritt erstmals und gleich charakteristisch aus der bloßen Aufzählung der übrigen

»literarischen Einflüsse, die an dem Buche mitwirkten«, in *Nationale und internationale Kunst* (1922) der besondere Eindruck dieses einen Werkes hervor: »und ich vergesse auch nicht, daß eine französische Erzählung, die bewunderungswürdige ›Renée Mauperin‹ der Goncourts, es war, deren Lektüre mich ermutigte, nach novellistischen Versuchen es mit einer Romankomposition zu wagen« (X, 872). Im Essay *Kosmopolitismus* (1925) ist das bereits zum (mündlichen?) Erzählvorrat Thomas Manns geworden, dessen Erinnerung nun offenbar genauer auch die Besonderheit der damaligen Lektüre hervorhebt: »Ich erzähle gern, wie in meinen jungen Jahren ein französischer Roman, die ›Renée Mauperin‹ der Goncourts, es war, dessen immer wiederholte Lektüre mich ermutigte, nach novellistischen Versuchen es mit einer Romankomposition, den ›Buddenbrooks‹, zu wagen. Die Reclam-Übersetzung jenes Werkes begann mit dem Dialog: ›Sie lieben nicht die Gesellschaft, mein Fräulein?‹ – ›Nein, mein Herr, was wollen Sie, ich langweile mich in ihr!‹ – Ich werde nie verstehen, wie das viele Lesen von Übersetzungen in meiner Jugend mir den Stil nicht vollständig verdorben hat« (X, 185). – In voller, bedeutungsvoll breiter, definitiver Ausformung bringt dann *Lübeck als geistige Lebensform* (1926) den Vorgang; er gewinnt den Charakter des Epochalen im Werdegang des mittlerweile zu weltliterarischem Rang gelangten Romanautors, indem dieser eine Ortsbestimmung, eine durch das Frühwerk vor dem Roman vermeintlich unabänderliche Festlegung der Eigenart des jungen novellistischen Erzählers und die geradezu feierliche Wendung (»Da geschah es, daß ich«) vorausschickt, die die Kernzone des Berichts einleitet:

> Werde ich Sie langweilen, wenn ich Ihnen ein wenig von der Entstehungsgeschichte des Buches erzähle? Ein paar novellistisch präludierende Versuche waren schon vorangegangen, und die psychologische short story war es, die ich endgültig für mein Genre hielt: ich glaubte nicht, daß ich es je mit einer großen Komposition würde aufnehmen können und wollen. Da geschah es, daß ich in Rom, wo ich damals mit meinem Bruder vorläufig lebte, einen französischen Roman, die ›Renée Mauperin‹ der Brüder Goncourt, las und wiederlas, mit einem Entzücken über die Leichtigkeit, Geglücktheit und Präzision dieses in ganz kurzen Kapiteln komponierten Werkes, einer Bewunde-

rung, die produktiv wurde und mich denken ließ, derglei-
chen müsse doch schließlich auch wohl zu machen sein.
Nicht Zola also, wie man vielfach angenommen hat – ich
kannte ihn damals gar nicht –, sondern die sehr viel artisti-
scheren Goncourts waren es, die mich in Bewegung setz-
ten, und als weitere Vorbilder boten skandinavische Familienromane sich an [...] (XI, 379/380).

Vor seinen amerikanischen Hörern ist Thomas Mann 1940 (in
On myself) nochmals in ähnlicher Art auf dieses entscheidende
Ereignis seiner Frühzeit als Schriftsteller eingegangen (XIII,
137). Die übrigen drei Textstellen charakterisieren die literari-
schen Merkmale der Goncourts, ihre »Finesse« (XI, 437), ihre
»Artistik« (XI, 312) und – bald nach jenem ausführlichsten
Bekenntnis zu diesem Vorbild, das nun in seiner artistischen
Besonderheit gleichsam fachlich präziser gefaßt ist – ihre »raffi-
nierte Exaktheit [...], deren Scheinleichtigkeit dazu verlocken
mochte, es ebenfalls mit einem Roman zu versuchen« (X, 248).
   Gewiß soll die Beobachtung, daß erst in den 20er Jahren der
Goncourt-Einfluß deutlich hervorgehoben wird, nicht überbe-
wertet werden. Dennoch ist der Vorgang auffällig und mögli-
cherweise dadurch zu erklären, daß Thomas Mann nach der
Epoche der *Betrachtungen eines Unpolitischen* und ihrer beton-
ten Einstellung gegen die westliche Zivilisation und Literatur,
nach seiner Hinwendung zur Demokratie auch den Kontakt mit
Frankreich verstärkt aufnahm – das Jahr der Rede *Lübeck als
geistige Lebensform*, worin am ausführlichsten der Goncourt-
Beziehung gedacht wird, ist ja auch das Jahr von *Pariser
Rechenschaft* mit einer so intensiven Kontaktnahme mit Frankreich und seiner geistigen Elite wie nie zuvor.
   Noch ein Zweites freilich ist an den Texten über die Gon-
court-Beziehung Thomas Manns auffällig: die Beschränkung auf
das eine Werk, auf den einen Roman, der Thomas Mann offenbar für die Gesamtleistung der Schriftsteller-Brüder einstehen
mußte und es in den verallgemeinernden Wendungen über
deren Kunstleistung auch tat. Eine Erklärung für diesen sonder-
baren Sachverhalt bietet am ehesten die nur lückenhafte Übersetzung des Romanwerkes der Goncourts (und nur von ihm,
nicht von den historischen Arbeiten der Brüder hat man bei
Thomas Manns bezeugter Interessenlage wohl auszugehen).
Edmond (1822 – 1896) und Jules (1830 – 1870) de Goncourt ver-
öffentlichten gemeinsam die Romane *Charles Demailly* (1860),

Soeur Philomène (1861), *Renée Mauperin* (1864), *Germinie Lacerteux* (1864), *Manette Salomon* (1867) und *Madame Gervaisais* (1869), dazu das Drama *Henriette Maréchal* (1865); Edmond allein – nach dem frühen Tod des Bruders – *La fille Elisa* (1877), *Les frères Zemganno* (1879), *La Faustin* (1882), *La Saint-Huberty* (1882) und *Chérie* (1884). Von diesen Werken erschienen in deutscher Übersetzung *Renée Mauperin* (1884), *Germinie Lacerteux* (1928), *Henriette Maréchal* (1890), *La fille Elisa* (1930), *Les frères Zemganno* (1909) und *La Faustin* (1899). – Aber nichts deutet in den Texten Thomas Manns darauf hin, daß er irgendeines der anderen Bücher der Goncourts nach dem für ihn so bedeutungsvollen Roman kennengelernt hätte. Dabei wäre es durchaus keine abwegige Vorstellung, daß der Autor der *Buddenbrooks* auch in späteren Jahren noch Kontakt mit dem Werk der Schriftsteller gehalten hätte, die ihn einmal zum entscheidenden Übergang zur großen Form, zum Roman zu veranlassen vermocht hatten. Und mochten zwei der Romane auch zeitlich zu verspätet als Übersetzungen nach Deutschland gelangt sein – darunter jene *Germinie Lacerteux*, die als wichtiges künstlerisches Dokument des anhebenden französischen Naturalismus (mit einem den Interessen Thomas Manns fernliegenden Milieu) entscheidende Anregung für Zola bedeutete –, so hätte doch jedenfalls der versetzt autobiographische Roman *Les frères Zemganno* mit seiner Zirkus- und Artisten-Atmosphäre das Interesse des mit der *Krull*-Gesamtkonzeption um 1909 erstmals beschäftigten Thomas Mann erregen können (so wenig natürlich gesagt ist, daß bereits damals Umrisse der späten Fortführung dem Autor selbst deutlich gewesen wären).[8] Nahezu sicher belegbare literarische Einflüsse auf diese Thematik kamen dagegen aus ganz anderer, nämlich skandinavischer Sphäre, von Herman Bangs *Exzentrischen Novellen*.[9]

II

Thomas Manns Umgang mit französischer Literatur besaß offensichtlich nicht (wie der seines Bruders) den Antrieb eines solchen elementaren Interesses, aus dem heraus das systematische Kennenlernen, die Aneignung um des produktiven Echos willen (etwa im Essay) sich einstellt. Seine großen Literatur-Essays sind im Deutschen beheimatet und – wo es darüber hin-

ausgeht – in der russischen Geisteswelt, bei Tolstoi, Dostojewski, Tschechow. Wo Thomas Mann als Leser seine Aufmerksamkeit in französischer Sphäre auf ein ganzes Lebenswerk zu
versammeln scheint – wie bei Zola – oder bezeugtermaßen versammelt – wie in der Spätzeit bei Balzac –, hat das verschieden-
artige Motive. Es kann sich um das bewundernde Interesse des
jüngeren, dem 19. Jahrhundert sich von seinen Ursprüngen wie
geistigen Passionen her zugehörig fühlenden Künstlers mit ähn-
lichen Kunstabsichten für das große, monumentale Werk handeln: nicht umsonst ist formelhaft allenthalben gerade diese
Qualität als die besondere Form der Huldigung für den Autor
des *Rougon-Macquart*-Zyklus hervorgekehrt. Dabei bleibt
offen, ob das überhaupt aus der Kenntnis aller 20 Romane
gesagt war.[10] Und es zeigt sich, daß in der Epoche von den *Buddenbrooks* bis zu den *Betrachtungen eines Unpolitischen* zwar
Zola-Kenntnis gewonnen worden war (im Rückblick auf die
Buddenbrooks-Entstehung hieß es ja 1926 über Zola: »ich
kannte ihn damals gar nicht« – XI, 360), daß aber zum andern
auch die Skepsis, ja die ironisch gefärbte Ablehnung Ergebnis
solcher Kontaktaufnahme ist. So zieht der deutsche Unpoliti-
sche – mit dem Verstand – den oft wiederholten Vergleich (»den
der Affekt auf immer von der Hand weisen möchte«) zwischen
Rougon-Macquart und Wagners *Ring* – um zu schließen: »Man
stellt mich hoffentlich nicht vor die Wahl. Ich fürchte, daß ich
mich ›patriotisch‹ entscheiden würde« (XII, 82). So liegt der
spätere Ausfall gegen Zola auf der Linie der Angriffe auch auf
den »Zivilisationsliteraten« des Buches: »Eine verlorene Seele
gewiß«, beginnt es, »die findet, daß die Erscheinung Zola's, und
sie am besten, von zwei Dingen eines beweist: entweder, daß die
Kunst *durch* die Glaubenstugend bis zur ohnmächtigen Lang-
weiligkeit und Leblosigkeit herunterkommt – oder daß die
Glaubenstugend nur eine Ausdrucksform und Begleiterschei-
nung des künstlerischen Marasmus ist.« Es ist von Zolas Spätzeit die Rede. Aber über den ganzen Zola wird geurteilt: »Es ist
wahr, Zola hat niemals, auch nicht, bevor er sich auf die Politik
geworfen, zu den wahrhaft großen Erzählern gehört. Ihn mit
Tolstoi zu vergleichen ist eine Grausamkeit, wenn auch eine
lehrreiche. Der Unterschied zwischen epischer Naturkraft und
ehrgeizig aufgepumpter Übertriebenheit springt in die Augen;
und während die Emma des Ästheten Flaubert, während die
moskowitische Anna unsterbliche Frauengestalten sind, bleibt
Nana ein keuchend ins Politisch-Symbolische erhöhter Fleisch-

klumpen.« Aus derartigen Beobachtungen zieht er die Lehre: »Es zeigte sich, was für einen Künstler dabei herauskommt, wenn Sein zum Meinen und Lehren wird« (XII, 509). – Die in großem Ausmaß betriebene Balzac-Lektüre in der späten Zeit der Weiterarbeit am *Felix Krull* wiederum hat stimulierenden Sinn – ein Brief vom 6. September 1953 meldet das: »wie ich denn zur Zeit, in der handlichen kleinen Rowohlt'schen Ausgabe, die der Verlag mir schenkte, einen Band Balzac nach dem anderen lese, um nicht zu sagen: verschlinge. Denn zum Verschlingen ist das ja eigentlich alles gemacht: spannend, sensationell, mächtig fabuliert, oft unerträglich romantisch, obgleich es sich fast immer um Geld handelt, sentimental, sogar frömmlerisch, aber mit enormem Sinn für das Gesellschaftliche, zugleich mit abenteuerlicher Sympathie für verbrecherische Revolte *gegen* die Gesellschaft und im Ganzen von einer wilden Größe, die mir immer geradezu das französische Format zu sprengen scheint. Auch paßt mir der Stil jetzt ganz gut in den eigenen Kram, den ›Krull‹, mit dem ich allerdings wegen öfterer Müdigkeit nur langsam vorwärts komme.«[11] Der Reflex der Lektüre ist ein bezeichnendes Beispiel für die – wie allgemein auch immer gehaltene – Form von produktiv werdendem Umgang mit Literatur, deren stoffliche Tendenzen in Beziehung gesetzt werden zum eigenen Vorhaben: Thomas Mann las Balzac gleichsam auf der Suche nach dem Abenteurertum, das er in seiner gegen die Gesellschaft gerichteten Form aus der Rebellion im *Krull* zu hermeshafter Ironisierung milderte. Genügend analytische Kraft selbst in einer solchen Briefstelle ist da, um charakteristische Züge von Balzacs Riesenwerk so zu skizzieren; dennoch blieb der Antrieb zu essayistischer Ausführlichkeit aus, weil offensichtlich Balzac als sensationelle Kunstäußerung spontan erlebt, aber nicht Verwandtschaft empfunden wurde; und erst aus ihr gehen im Werk die essayistischen Bekundungen hervor.

Solche Voraussetzungen lagen bei Flaubert vor. Über die tiefe Künstlerverwandtschaft mit ihm gibt es schon früh, in einem der fragmentarisch erhaltenen Briefe an Katia Pringsheim (von Ende August 1904) ein in aller Verknappung höchst beredtes Zeugnis Thomas Manns; es wird vorbereitet durch das Geständnis schwerer Sorgen um die künstlerische Arbeit, durch jene der Bestimmung des Talents geltenden Sätze (»Denn das Talent ist nichts Leichtes, nichts Tändelndes, es ist nicht ohne Weiteres ein Können. In der Wurzel ist es *Bedürfnis*, ein kritisches Wissen um das Ideal, eine Ungenügsamkeit, die sich ihr Können nicht ohne Qual erst schafft und steigert«), die die Briefempfängerin im folgenden Jahr im *Simplizissimus*-Druck der *Schweren Stunde* wiederfinden sollte (VIII, 375/376). Ihnen folgt der Satz, der dann auf Flaubert hinlenkt: »Und den Größten, den Ungenügsamsten ist ihr Talent die schärfste Geißel. Einmal, ich war noch viel jünger, las ich in Flauberts Briefen und stieß auf einen unscheinbaren Satz, bei dem ich lange verweilte. Er schrieb ihn an einen Freund, ich glaube, zur Zeit von ›Salammbô‹: ›Mon livre me fait beaucoup de douleurs!‹ ›Beaucoup de douleurs!‹ Schon damals verstand ich das; und seither habe ich nichts gemacht, ohne daß ich mir diesen Satz hundert mal zum Trost wiederholt hätte [...]« (Briefe I, S. 54/55).[12] Eine Briefäußerung vom 27. IV. 1933 faßt dann bündig zusammen: »Ich habe Flaubert, wie übrigens Balzac und Zola, ziemlich spät kennen gelernt, und einer eigentlichen Beeinflussung bin ich mir kaum bewußt. Allerdings hat die streng künstlerische Haltung Flauberts mich zweifellos beeindruckt und gehört zu Bildungserlebnissen meiner späteren Jugend.«[13] Aber trotz starker Verwandtschaft in Kunstauffassung oder Kunstübung, die Flaubert unmittelbar neben essayistisch umkreiste Leitbilder wie Fontane, Tschechow oder Schiller stellt, hat Thomas Mann dem französischen Schriftsteller einen (gleich motivierbaren) Essay nicht gewidmet. Es läßt sich wohl nur aus der Haltung zur französischen Literatur im ganzen erklären.

Bei Heinrich Mann lag es gerade umgekehrt. Seine glanzvollsten Essays im Themenbereich der Literatur sind so ausschließlich Erscheinungen des französischen Geistes gewidmet, daß der einzige Goethe als die individualistische, der Gesellschaft abgeneigte Kontrastfigur nur im Gegenbild der Reihe großer, der Typik, dem Allgemeinen, der Welt, dem Geist verschworener Franzosen gespiegelt und seiner natur-, ja gotthaften Indifferenz wegen als großartig, aber gesellschafts- und fortschrittsfern abgewiesen wird. Aus dieser Konzeption einer Verbindung von Geist und im Politischen befreiender Tat hat Heinrich Mann die Reihe großer Schriftsteller Frankreichs in seinen Essays aufgebaut: Voltaire, Choderlos de Laclos, Stendhal, Victor Hugo, Flaubert und George Sand (Flaubert übrigens – mit dem ersten Teil dieses Doppelporträts – im Jahr der *Schweren Stunde*, 1905, in der *Zukunft*), Zola, Anatole France. Der Wesensunterschied der Brüder Mann, ihre geistige Polarität wird bereits aus Inhaltsverzeichnissen ablesbar.

Der verschwiegene Bereich der geistigen Einflüsse im eigenen Erzählwerk, das sich Vorbildern öffnet, sie einformt, kann das – einmal offengelegt und analysiert – nur bestätigen. Essayistisches Bekennertum und dichterische Gestaltung in Nachfolge und Fortentwicklung, in Traditionsbewußtsein wie der Kraft des unverwechselbar Eigenen und Neuen gehen zusammen. Der Roman der Brüder Goncourt, der für die Entfaltung des Romanautors Thomas Mann so epochale – weil auslösende – Bedeutung gewann, könnte als das einzige Beispiel französischen Einflusses auf die dichterische Gestaltung dieses in seiner Essayistik ganz anderen Bereichen Zugewandten auch ein Gebiet darstellen, wo die Brüder Mann sich trafen – und doch wieder charakteristisch voneinander schieden.

Heinrich Manns Werk weist vielfache Einflüsse aus der französischen Literatur auf. Sie entstammen – so zeigt es die Heinrich-Mann-Literatur – den Werken Balzacs und Flauberts, Zolas, Maupassants und Bourgets. Der Psychologismus des Romans *In einer Familie*, die Analyse des Dilettantismus sowie die politische Haltung der Frühzeit sind Bourget verpflichtet. Der Einfluß Balzacs als dessen, der im Roman die zeitgenössischen Mächte des Geldes, der Großstadt, der Politik, den Kampf um Machtstellungen darstellt, der im Riesenwerk der Comédie Humaine moderne Soziologie schöpferisch, in den Figurenreihen entfaltet, beginnt bei Heinrich Mann von dem Augenblick an, wo er den Entschluß faßt, selbst soziale Zeitromane mit den Mitteln und Absichten des Späteren, satirisch wie in *Im Schlaraffenland* und *Professor Unrat* oder rauschhaft und satirisch zugleich, wie in *Jagd nach Liebe*, zu schreiben; die Thematik des Lebenskampfes ist auch später, von den Werken der Weimarer Zeit bis ins Spätwerk, von Balzac hergeleitet.[14] Flaubert und Heinrich Mann: das ist das »Ideal reiner Formkunst«[15] des Franzosen in den *Göttinnen*, in den der Spätantike huldigenden Novellen *Mnais* und *Die Rückkehr vom Hades*, es ist der Einfluß von *Madame Bovary* auf strukturelle und inhaltliche Momente der *Kleinen Stadt*.[16] Der erste gesellschaftskritisch-satirische Roman *Im Schlaraffenland* hat jedoch auch andere Quellbereiche: Zolas *L'argent*[17] wie – von fundamentaler Bedeutung – Maupassants *Bel-Ami*.[18] Und Maupassant gibt auch ein allerdings wesentlich variiertes Modell (mit seiner *La Parure* – Novelle) her für die frühe Erzählung *Enttäuschung*.[19] Französische Einflüsse bei Heinrich Mann reichen aber noch weiter. Die charakteristische Verbindung von Privat und Öffentlich, von Liebe und Politik in der Form des Freiheitskampfes – wie sie in der italienischen Sphäre der Novellen *Fulvia* und *Auferstehung* im Zeitraum von Napoleon bis Garibaldi lebendig wird mit dem Pathos von Delacroix' 1830er Gemälde *La liberté guidant le peuple*[20] – ist ein bezeichnendes Merkmal auch von Novellen Stendhals, wie in *Vanina Vanini*: hier konkurriert die Liebe der Titelfigur zu einem Carbonaro mit dessen zuletzt dominierender abstrakter Vaterlandsliebe bis ins Verbrechen. Stendhals Darstellung der von der erstarrenden Oberfläche eines Chronikstils oder eines prozessualen Erzählcharakters oft verdeckten triebhaften Leidenschaft (der das Politische anderswo z. T. eher als Milieu assoziiert denn als Thema voll integriert ist[21]) kommt als grundsätzlich anregendes Moment ebenso hinzu wie die Darstellung des Emporkömmlings Julien (*Le Rouge et le Noir*) und des machiavellistischen Glücksjägers Fabrice (*La Chartreuse de Parme*) sowie des kühnen, machtberauschten Frauentyps in den *Chroniques italiennes*. Von *Im Schlaraffenland* und den *Göttinnen* bis in die Renaissance-Atmosphäre des *Henri Quarte* werden so auch immer wieder Stendhal-Elemente spürbar.[22]

All das steht der Thematik und der künstlerischen Auffassung Thomas Manns denkbar fern. Wo er (einmal) die Kombination von Liebe und Politik erprobt, wie in *Königliche Hoheit*, gerät sie ihm zum Märchen mit gleichzeitiger rationaler Aufhebung seiner phantastischen Züge.[23] Abenteuernde Leidenschaft wird von Tonio Kröger programmatisch abgelehnt – wie die Politisierung der Literatur in den *Betrachtungen eines Unpolitischen*. Das Kennwort, der stellvertretende Name in der Auseinandersetzung mit dem Bruder ist hier Zola. Jene Stelle einer grundsätzlichen, umfassenden Kritik an Zola in den *Betrachtungen* (XII, 509) ist zugleich als Kritik an Heinrich Manns Zola-Auffassung in seinem großen Essay von 1915 gemeint. Heinrich Mann hat das ganze Monumental-Epos der *Rougon-Macquard* im Blick und feiert es in Hymnen von präziser Gehobenheit, in jenem die erste Hälfte dieser Bekenntnis-Arbeit vollendenden dritten der sechs Kapitel mit dem Titel *Erdengedicht*. In Zolas Romanschöpfungen sieht Heinrich Mann Gleichnisse des größten Ausmaßes, gewaltige Bilder, die sich über das Ganze legen und es deuten. So auch deutet er *Nana* – anders als der Verfasser der *Betrachtungen* – als ein zwingendes Gleichnis: »Zuerst ist sie ›das Gedicht der männlichen Begierden‹. Zum Schluß ›fehlt nicht viel‹, daß ihr mit Blattern bedeckter Körper das gegen den

Tod kämpfende Frankreich des zweiten Kaiserreiches bedeute. Und nichts fehlt, daß sie mehr bedeute, ›eine Naturkraft‹, unwissend über das Böse, das sie tut. Großstadt: die Tochter des ausgesogenen Volkes rächt es an den Reichen, kraft ihrer vergifteten Schönheit. Die Gosse spritzt ihnen in das Gesicht, und sie krepieren daran. Kreislauf des Lasters, Kreislauf des Todes; Menschengetriebe, großartig wie Natur; Poesie des Äußersten; im dumpfigsten Winkel atmet noch immer Pan; Großstadt, aber Stein ist Erde.«[24] Und dem ersten Roman des Zyklus, *La Fortune des Rougon*, gehört in diesem Kapitel eine gedichtete Interpretation voller Anklänge an klassische Menschheitsideale: »Homerische Landschaften, und darin griechisches Idyll, viel Leidenschaft auf öffentlichem Markt, hohe Unschuld und große Abgefeimtheit, heroische Ziele, die Verwirklichungen aber erbärmlich zugleich und tragisch«[25] – das ist ein anderer Wertmaßstab für diese Literatur, als Thomas Mann ihn mitbrachte. Den Kontrast zwischen den hochherzigen, dem Freiheitsideal verschworenen Armen und jenen Kleinbürgern, die sich im richtigen Augenblick der Macht beigesellen und die blutige Spur ziehen, stellt Heinrich Mann auf diesen Seiten heraus (freilich ohne im einzelnen auch Zolas gerechten Realismus zu zeigen, der Fragwürdiges, Opportunistisches auch als Treibgut des Aufstandes auffindet). Er zeigt die Spiegelung der kleinstädtischen Ereignisse in denen der großen Politik der Hauptstadt, des entstehenden Kaiserreiches (oder umgekehrt). Und er macht den poetischen Sinn dieses ersten Romans sichtbar, in seiner Überhöhung des Alltags, einer Welt in Bedürfnissen beengter Menschen: »Das Volk, dessen Tag bevorsteht, ist hier verklärt, wie nur je Sehnsucht verklärt.« Und: »Die Volkskinder lieben einander rein, mit der Reinheit antiker Liebender; Schmutz und Geruch ihrer Arbeit sind verflüchtigt, als seien sie zurückgekehrt aus Jahrtausenden. Immer ist Poesie für Zola nur in den rauhen Lebenskreisen, unter Menschen, die sie nicht suchen.«[26] Der Vorgang dieser Deutung, jener Verwerfung ist symptomatisch für die Brüder Mann. Zweifellos traf Heinrich Mann mit dieser Interpretation des ersten der *Rougon-Macquart*-Romane genau das Wesen dieses von Poesie getragenen Buches, das Thomas Mann nicht sah oder verkannte. Was Heinrich Mann hier (bei allem stellvertretenden Sprechen des Essays für die eigene Lage sonst) ausließ, war die Beziehung seines eigenen Schaffens schon auf diesen Beginn des Zyklus. *La Fortune des Rougon* und *Die kleine Stadt*: das blutige Satyrspiel des Bürgerkriegs, den schlotternde Kleinbürger veranstalten, dort – hier die Wendung der Entzweiung ins Karikiert-Humoristische, Harmlose; Granoux' Glockenläuten mit dem Hammer und die Glockengeläut-Sabotage der Opernaufführung im Roman der Kleinstadt-Komik als Requisiten, die Inadäquatheit der Kampfmittel. Oder: Pierre Rougon als Modell für die Heßling-Figur des *Untertan* – der Aufstieg durch unanständige, unlautere, verbrecherische Mittel, die beflissene Untertan-Gesinnung bei beiden, Mut da, wo die beherrschende Feigheit die gefahrlose Chance dafür erkennt. Und schließlich (als Vordeutung auf späteres Schaffen Heinrich Manns sei es hier angefügt): das Verfahren der Spiegelung des Kleinbürgerschicksals in der hohen Politik (wie schon im *Untertan*), von Rougons Glück in Napoleons III. Staatsstreich[27], wird in dem Roman *Eugénie oder die Bürgerzeit* als Kompositionsprinzip – nun bezogen auf den Sturz einer großbürgerlichen Kaufmannsfamilie in Heinrich Manns Geburtsstadt und auf den Untergang Napoleons III. – voll aufgenommen werden.

Daß Zolas *La Fortune des Rougon* im übrigen ein artistisches Gebilde von großer architektonischer Geschlossenheit darstellt – mit dem Einmünden des Geschehens auf den Saint-Mittre-Hof, der voller Todeszeichen gesehen ist schon am Beginn, mit dem vom tödlich werdenden Gegenwartsgeschehen umschlossenen reinen Idyll der Liebe zwischen Silvère und Miette und ihrer Geschichte inmitten des Romans (5. Kapitel), mit Auszug und Untergang der Aufständischen und feiger Flucht- wie gefahrloser Angriffsbewegung der Kleinbürger von Plassans im Verschachtelungsarrangement der Außen- und Mittelglieder um das reine Idyll herum, mit dem gleichen Kompositionsprinzip der Umschließung des Liebes-Idylls von Fortgehen aus der Stadt und Einholen der Aufständischen gleich im 1. Kapitel selbst –; all das spielt in Heinrich Manns Roman-Interpretation im Zola-Essay so wenig eine Rolle (entsprechend der in seinen Romanen zurücktretenden formalen Kunst), wie es dem auf solche künstlerischen Qualitäten sonst achtgebenden Thomas Mann um so mehr hätte auffallen können.

Die unterschiedliche Haltung der Brüder Mann zu Zolas Werk hat den Rang einer Modellsituation. Sie zeigt am deutlichsten den Vorgang von Anziehung und Abgestoßensein durch eine programmatisch der Politik verpflichtete Literatur, und sie ist diese Modellsituation auch deshalb, weil es Zola allein war, der beide Brüder auf dem Gebiet des Essays einander begegnen ließ. Alle Äußerungen Thomas Manns über andere französische Autoren (über die Heinrich Mann geschlossene essayistische Betrachtungen vorgelegt hat) sind in kleinen (oft gerade eben erwähnenden Neben-)Stellen über sein weites essayistisches Lebenswerk verstreut. Darin drückt sich nicht etwa aus, daß Thomas Mann die gesamte französische Literatur mit der Reserve gesehen hätte, die er Zola gegenüber übte; jedenfalls aber ist es ein Zeichen dafür, daß sie hinter anderen Literaturen zurückstand, was die Spontaneität einer produktiven Auseinandersetzung betraf. An solchem Sachverhalt ändert auch nichts jenes kurz nach Zolas 50. Todestag für ein französisches Buch (*Présence de Zola*) geschriebene *Fragment über Zola* vom 17. Dezember 1952 (X, 930-932), das ein gemildertes, alle Vorbehalte von früher dämpfendes Resümee der Ansichten und Einsichten darstellt, die Thomas Mann von den *Betrachtungen eines Unpolitischen* ausgehend gefunden hatte. Noch einmal wird hier zwischen den *Rougon-Macquart* und Wagners *Ring* verglichen, in einem Zitatgefüge, das Textstellen aus jener Zeit übernimmt, in der die Arbeit an der Joseph-Tetralogie Thomas Mann ganz in den Bann der vergleichenden Mythologie gezogen hat: aus *Die Einheit des Menschengeistes* von 1932 (X, 754-755), aus *Leiden und Größe Richard Wagners* von 1933 (IX, 363-426) – wo der mythologisch-etymologische Bezug vom Beinamen der babylonischen Ischtar auf Zolas Nana hergestellt ist (X, 735-755 und IX, 365); wie ja den Zusammenhängen eines mythischen Ichgefühls in der Antike mit den weiblichen Gottheiten, unter ihnen Ischtar, auch in *Freud und die Zukunft* von 1936 (IX, 478-501, Stelle: 495) nachgegangen wird. – Der Satz im *Fragment über Zola* also: »es ist vor allem ein Naturalismus, der sich ins Symbolische steigert und enge Fühlung hat mit dem Mythischen« (X, 930 – vgl. IX, 365) – der die Verwandtschaft beider Werke bezeichnet –, dieser Satz verbindet die Einsicht Heinrich Manns vom Gleichnis-Charakter der Zola-Schauplätze und -Figuren mit der eigenen neuen Erfahrung des in den Mythos eingedrungenen Dichters der Joseph-Tetralogie.[28] Einschränkende Wendungen enthält auch das *Fragment über Zola* noch, solche von der »Drastik und ehemals skandalisierenden Brutalität des Wahrheitsdienstes« (X, 930), von der »eigentümlichen Mischung, die bei ihm eine bis zum Wuchtig-Unflätigen gehende Düsternis der Weltschau einging mit der Fähigkeit zu hellem Glauben an schlichte Ideale und zum Einsatz der Person im Kampfe für sie«, vom »wüsten Wahrheitsübermut seines epischen Werkes« (X, 931); aber sie werden doch überstrahlt von der Huldigung für ein Werk und einen Mann, der sich (bei allerdings geringerem Risiko als im späteren Jahrhundert) für »Freiheit, Wahrheit und Menschenwürde« (X, 932) einsetzte und damit dem Vorbild Voltaires mythisch verpflichtet war. Unverkennbar, daß Thomas Mann eine solche positive Einschätzung der Gang des Zeitalters selbst gelehrt hatte.

III

Der Überblick über Thomas Manns Haltung zu Zola, über sporadische Äußerungen zu Balzac oder Flaubert, der Vergleich mit der ganz andersartigen Einstellung Heinrich Manns zu französischen Autoren kennzeichnet nun aber auch Thomas Manns Rezeption des einen Romans der Brüder Goncourt als eine Ausnahmesituation von folgenreicher Bedeutung.

Noch in hohem Alter faßte Katia Mann den Unterschied der Brüder in ihrer literarisch-kulturell-politischen Einstellung so: »Heinrich war ganz französisch-lateinisch orientiert, wohingegen mein Mann seinen kulturellen Wurzeln nach deutsch war, absolut deutsch. Er hatte kein starkes Verhältnis zur französischen Literatur. Er hat französisch auch nur ziemlich mühsam und nicht viel gelesen. Die skandinavische Literatur, vor allem die russische, lag ihm viel näher.«[29] Darf man nun annehmen, daß der gemeinsame Aufenthalt der Brüder in Rom und Palestrina zwischen 1896 und 1898 auch eine gewisse Gemeinsamkeit in literarischen Fragen hervorrief? »Damals«, heißt es bei Katia Mann, »legte er großen Wert auf den Umgang mit dem älteren Bruder. In dem Jahr, das sie zusammen in Rom und Palestrina verbrachten, standen sie wohl sehr gut zueinander, und mein Mann ließ sich vielleicht auch bis zu einem gewissen Grad von dem Älteren beeinflussen.«[30] Ob Heinrich Mann etwa seinen Bruder auf die Goncourts hingewiesen hat, ist ganz ungewiß (zumal Thomas Mann den Roman in einer Reclam-Übersetzung las); daß auch er den Roman gelesen hat, scheint bei seinem Interesse an aller französischen Literatur jedoch sicher. Die autobiographischen Texte der Brüder geben für diese Frage nichts her – weder Thomas Manns *Lebensabriß* oder *On myself* an den Stellen, wo sie vom Italien-Aufenthalt berichten (XI, 103/104 und XIII, 136/137), noch Heinrich Manns *Ein Zeitalter wird besichtigt*, in dem *Mein Bruder* betitelten Abschnitt im achten Kapitel *Die Gefährten*.[31] Hier stehen die lapidaren Sätze: »Anfangs seiner zwanziger Jahre war mein Bruder den russischen Meistern ergeben, mein halbes Dasein bestand aus französischen Sätzen. Beide lernten wir deutsch schreiben – erst recht darum, wie ich glaube.« (S. 215) Und für die Entstehung der *Buddenbrooks* gibt Heinrich Mann ein nur bescheidenes Maß an Mitwirkung an: »Wenn ich mir die Ehre beimessen darf, habe ich an dem berühmten Buch meinen Anteil gehabt; einfach als Sohn desselben Hauses, der auch etwas beitragen konnte zu dem gegebenen Stoff.« Solche Einschränkung auf das rein Stoffliche, solche Auslassung auch etwaiger Winke für literarische Muster fällt auf. Es heißt dann geradezu in klarer Abgrenzung der Idee des Ganzen vom Stofflichen der Familiengeschichte: »Der junge Verfasser hörte hin: die Einzelheiten der Lebensläufe zu wissen war unerläßlich. Jede forderte, inszeniert zu werden. Das Wesentliche, ihr Zusammenklang, die Richtung, wohin die Gesamtheit der Personen sich bewegte – die Idee selbst gehörte dem Autor allein. Nur er begriff damals den Verfall [...]« (S. 217).

Das scheint zu besagen, daß die Brüder in ihrer ideellen Ausrichtung doch so weit voneinander entfernt waren, wie es sich in der von Heinrich Mann verzeichneten (eher überzeichneten) ausschließlichen Lektüre zeigen soll. Das Nebeneinander von *Buddenbrooks* und *Im Schlaraffenland* vermittelt dem Leser die höchst zugespitzte Erfahrung einer derartigen Vermutung. Dem steht eine von Thomas Mann seinem ersten Biographen Arthur Eloesser berichtete damalige Erwägung der Brüder gegenüber, den Roman gemeinsam zu schreiben, »die Arbeit an den ›Buddenbrooks‹ aufzuteilen: Heinrich sollte ›den ersten Teil als den historischen übernehmen‹.«[32] Der scheinbare Widerspruch ist wohl aufzulösen: einem entsprechenden Vorhaben mochte sich entgegenstellen, was sich als unterschiedliche literarische, geistige Wesensart der Brüder in dieser Zeit entwickelte und in den beiden Romanen dann voll entfaltete. Verwirrend genug ist es aber doch, daß Heinrich Mann im Lebensrückblick selbst den Abschnitt über seinen Bruder mit einer Erinnerung an ein derartiges Vorhaben beschließt, das indessen weder thematisch noch zeitlich näher bestimmt wäre (das zeitliche Ungefähr deutet sogar eher auf einen weit späteren Zeitpunkt als die Entstehungsjahre für *Buddenbrooks*): »Noch in der ersten Hälfte unserer Tätigkeit teilten mein Bruder und ich einander denselben heimlichen Gedanken mit. Wir hätten ein Buch gemeinsam schreiben wollen. Ich sprach als erster, aber er war vorbereitet. Wir sind niemals darauf zurückgekommen. Vielleicht wäre es das Merkwürdigste geworden. Nicht umsonst hat man den frühesten, mitgeborenen Gefährten. Unser Vater hätte in unserer Zusammenarbeit sein Haus wiedererkannt« (S. 226).

Dies jedenfalls ist gewiß: Das Phänomen der literarischen Gemeinschaftsarbeit der Brüder Goncourt mußte auf die in Rom in einem Zustand der Vorläufigkeit verharrenden Brüder Mann eine wie auch immer unbestimmte Faszination ausüben. Daß in den autobiographischen Schriften der Brüder Mann keine entsprechende Beziehung namhaft gemacht wird, besagt noch nichts über die damalige (flüchtige) Wirklichkeit.

In seinem Zeitalter-Band hat Heinrich Mann nur ganz beiläufig, in dem Abschnitt über seinen Freund Félix Bertaux und die Teilnahme an den Entretiens de Pontigny 1923, die Goncourts erwähnt – zu einem Rundgang in Paris, anläßlich des Essens bei Brébant, »wo die Goncourt und ihre Freunde ihr monatliches Diner gehabt hatten« (S. 249). Im Zola-Essay figuriert Edmond, »der noch lebende Goncourt«, im kleinen Kreis der Freunde Zolas neben Flaubert und Daudet; es gibt eine Anspielung dort auf *Germinie Lacerteux* mit dem Satz: »Nicht die realistische Literatur nur, wie vorher in einem Roman der Goncourt, ergriff Besitz von den Arbeitern und ihrer Welt«.[33] Daß Heinrich Mann Bücher der Goncourts besaß und benutzte (für die *Göttinnen*), verzeichnet sein Monograph.[34] Die Voraussetzungen für eine Ausrichtung an einem derartigen ungewöhnlichen Vorbild von Schriftsteller-Brüdern waren also gegeben.

Produktiv in einem epochemachenden Sinne wurde Thomas Manns Beschäftigung mit dem Roman *Renée Mauperin* – und auch er nur bekannte sich später immer wieder mit Dankbarkeit zu dieser entscheidenden Anregung, zu diesem Einfluß auf seinen künftigen Weg als Schriftsteller. Im Dunkel bleibt, welchen Anteil Heinrich Mann an diesem literarischen Eindruck nahm; etwaige Zusammenhänge mit seinem Werk lassen sich nur ohne sein grundsätzliches Zeugnis erschließen.

Die Formel, mit der Thomas Mann 1940 das Bildungserlebnis des Goncourt-Romans erfaßte – als »französischen Naturalismus und Impressionismus« (XI, 550) –, umschreibt das Nebeneinander literatur-programmatischer Absichten der Brüder Goncourt und die künstlerische Durchführung in *Renée Mauperin* im besonderen.

Die Einbeziehung des vierten Standes in die Stoffwelt der

Literatur als Konsequenz des durch das allgemeine Wahlrecht erreichten politischen Status, die Anwendung wissenschaftlicher Fragestellungen auf die ergriffene Thematik – vor allem in der Form einer biologisch-experimentellen Methodik –: das waren die Grundsätze, nach denen die Goncourts entsprechend dem Vorwort zu ihrem ebenfalls 1864 erschienenen Roman *Germinie Lacerteux* verfahren wollten. Erich Auerbach hat in seinem berühmten *Mimesis*-Buch aber überzeugend dargetan, daß es statt eines wirklichen Verständnisses für die generelle Funktion des vierten Standes innerhalb der neuen Aufgaben der Kunstdarstellung überhaupt vielmehr das Prinzip der Stoffwahl der Goncourts war, was zu dieser Thematik führte: »sie waren Sammler und Darsteller von Sinneseindrücken, und zwar von solchen, die einen Seltenheits- oder Neuheitswert hatten; sie waren, von Berufs wegen, Entdecker oder Wiederentdecker von ästhetischen, insbesondere von morbidästhetischen Erfahrungen, die einem anspruchsvollen, des Gewohnten überdrüssigen Geschmack Genüge tun konnten.«[35] Die unmittelbare zeitliche Nachbarschaft dieses Romans zu *Renée Mauperin* kann das auf ihre Weise erhärten. Zur gleichen Zeit, wo das Schicksal eines alternden Dienstmädchens mit der Unerbittlichkeit einer das Häßliche und Pathologische unbeschönigt zeigenden Kunstgesinnung vorgeführt wird, beschäftigen die Brüder ihre Leser in dem anderen Roman mit den Schicksalen einer großbürgerlichen Familie, deren protagonistische Kinder durch die Verstrickung in das unter Louis Philippe erlernte rigorose Erfolgsdenken (Henri Mauperin) und den emanzipatorischen Widerstand gegen diese wie jede Form einer niedrigen, absichtsvollen Gesinnung (Renée Mauperin) einen Vorgang auslösen, der auf seine Art (und noch ohne die Dekadenz-Komponente des Jahrhundertendes) einen Verfallsprozeß darstellt. Nicht also das Milieu ist das Entscheidende für die Gewinnung einer naturalistischen Literaturform durch die Goncourts, sondern die angewendete Methode. Wie eng benachbart sich in der ursprünglichen Konzeption die Goncourts und ihr junger deutscher Leser in Rom sind, erhellt aus dem Umstand, daß die französischen Brüder seit 1855 ein großes zyklisches Romanwerk planten, das drei Generationen im Zweiten Kaiserreich vorführen sollte. *La jeune bourgeoisie*, wovon dann nur *Renée Mauperin* ausgeführt wurde – eine Projekt gebliebene Vorform also der *Rougon-Macquart* –, und der Roman über vier Generationen Buddenbrooks: man sieht, wie das künstlerische Denken in historischen Schritten Verwandtschaften über mehr als eine Generation selbst in verschwiegener Form stiftet. Zeitgenossenschaft auch in der Haltung, die Materialien der Wirklichkeit, die Modelle aus der Familie und der Umwelt höher zu achten als bloße Phantasiegebilde: Renée, ihr Vater, der Freund Denoisel und ihre Urbilder (eine Jugendfreundin, der Vater der Goncourts, Jules)[36] wie die Buddenbrooks und die Mitglieder der Generationenkette der Mann-Familie, die Chargen des Romans und ihre Lübecker Entsprechungen – die biographische Neugier identifiziert die verschlüsselten Figuren, die im Roman dennoch ihr geistiges Eigenleben gewinnen; daß es auf die Quellen, auf die Urbilder der Figuren im Werk nicht mehr ankommt (Thomas Mann betont es energisch und mit allem Recht des Künstlers später, 1906, in *Bilse und ich* – X, 9-22), besagt dennoch nichts über das gewählte Verfahren, das einer Zeit mit gesteigertem Wirklichkeitssinn und unbedingtem Porträtierungswillen angehört. Während dies aber geheime Analogien sind, nicht Einflüsse, Erlernbares, bedeuten die Milieuschilderungen der Goncourts, ihre Ableitung von Anlagen aus dem Erbe, das der Vater der Tochter, die Mutter dem Sohn weiterreicht, ihr Interesse an der seelischen Analyse der Krankheit und deren medizinisch fundierte Verlaufsschilderung zum einen grundlegendes Lehrgut für den sich entfaltenden Naturalismus wie zum andern für den jungen Thomas Mann spezifische Erkenntnisse, die seinem Interesse an Verfallssymptomen, an der Verfeinerung des absteigenden Lebens dienlich werden. Diese Elemente naturalistischer Beschreibungs- und Analyse-Kunst aber werden aufgefangen in einer Darstellung, die den duftigen Namen der die späteren Jahrzehnte beherrschenden französischen Malerei mit Recht für sich beanspruchen darf.

In solcher artistischen Gegenkraft gegen eine bloß wirklichkeitsgetreue naturalistische Abspiegelung, gegen die Kunstlosigkeit aus Programm oder Unvermögen, findet sich ein grundsätzliches Merkmal der Gemeinsamkeit zwischen den Goncourts und ihrem die große Form suchenden jungen Leser. Die Kunstmittel sind freilich verschieden, das Prinzip jedoch ist gleich. Thomas Mann schrieb über *Buddenbrooks* in den *Betrachtungen eines Unpolitischen*, das Buch sei »für Deutschland der vielleicht erste und einzige naturalistische Roman und auch als solcher, schon als solcher von künstlerisch internationaler Verfassung, europäisierender Haltung« (XII, 89) – eine mißverständliche Bestimmung insofern, als sie ausläßt, daß dieser auf naturalistische Wirklichkeitserfassung bedachte Roman zugleich ein bis in die letzten Verästelungen stimmiges Kunstgebilde voller Verstrebungen, Beziehungen, dem hochorganisierten musikalischen Werk entsprechender Konstruktionen darstellt und gerade damit den bloßen Naturalismus weit übersteigt.[37] Die Kraft des Konstruktiven zeigt *Renée Mauperin* nicht auf solche dem musikalischen Kompositionsprinzip abzusehende Art, sondern durch eine durchgehaltene Strategie der Anordnung des Vergangenen, privat Geschichtlichen in dem Fluß schwereloser, dialogisch hingezauberter Gegenwärtigkeit. So folgen die großen Porträt-Kapitel, in denen sich geballte Personencharakteristik mit den Daten der jeweiligen inneren und äußeren Biographie verbindet, auf direkte Erzähleinsätze, die den Leser unvermittelt der Situation aussetzten. Aber obwohl das Ensemble der mitwirkenden Personen schon früh versammelt ist, behalten sich die Erzähler (eben aus Gründen einer überlegten Erzählstrategie) doch vor, solche Resümees erst an späteren Orten, über den Gang der Romanhandlung verteilt, einzusetzen. Auf diese Weise werden im artistisch berechneten Phasen-Ablauf nacheinander alle Familienmitglieder und die für den Gang der Handlung entscheidenden Familien Bourjot und Villacourt vorgestellt (allerdings auch, und dies ohne Funktion im Erzählganzen, eher zur Illustration der Zeit-Atmosphäre, der Abbé Blampoix als Vertrauter der schönen und vornehmen Welt): Charles-Louis Mauperin (S. 9 – 16), Denoisel (S. 37), Frau Mauperin (S. 43 – 47), Abbe Blampoix (S. 51 – 56), Henri Mauperin (S. 68 – 73), Salon und Haus Bourjot, Herr Bourjot (S. 90 – 93), Frau Bourjot (S. 121 – 125), Frau Davarande, Renées Schwester (S. 133 – 135), Denoisel (S. 164 – 170), das Geschlecht Villacourt (S. 188 – 195).[38] Ausgelassen bei diesem Prinzip einer konzentrierten Darstellung aber sind Noémi Bourjot (das zarte Opfer des Eheplans Henris und seines Duelltodes) und Renée Mauperin selbst, deren graziles, luftiges Wesen über solchen blockartig sich zusammenfügenden Erzählfundamenten in der dialogischen Schwerelosigkeit der Handlung schwebt. Vereinzelt nur ist neben der Konstruktion der Erzählblöcke jenes für die *Buddenbrooks* so typische System der Verweise und Vordeutungen zu finden: so in der frühen Vordeutung auf das Ende Renées (noch vor aller inhaltlichen Begründung ihrer Herzkrankheit, die ihr Anteil am Tod Henris auslöst) in ihrem Gebet um einen Tod vor dem des einzig geliebten Vaters (S. 78), so in der thematischen Verklammerung jener Villacourt-Handlungspartikel, die von

Henris Zugriff auf diesen Adelsnamen, Renées zufällig erworbener Kenntnis über die Villacourt-Familie und deren dem Leser verschwiegenen beunruhigenden Gebrauch über die Duell-Forderung, das Zitat der dem Villacourt zugeschickten Zeitungsnotiz bis zur Aufklärung der geheimen Vorgänge reicht (S. 151 f., 180 f., 186, 195, 213 f., 215 f.), so in der vorgestellten Totenszene mit Kerzen in der Mittagssonne (S. 248) vor ihrer Verwirklichung (S. 260).

Hier – in *Renée Mauperin* – also nur spärliche Vordeutungen, dafür das Strukturprinzip der Erzählblöcke, die Vergangenes konzentrieren, dort – in den *Buddenbrooks* – dagegen die Fülle der den historisch geradlinigen Chronikstil in sich artistisch verklammernden Verweise und Vordeutungen, dafür nur die eine Stelle (II. Teil, 1. Kapitel), wo die Familienvergangenheit dem Leser durch die Lektüre des Konsuls in den Familienpapieren in gleich konzentrierter Form (aber erzählerisch aus der Situation – der Eintragung der Geburt Claras – motiviert) sichtbar wird (I, 54-59). Es ist klar, daß Thomas Mann die *Buddenbrooks*-Handlung nicht in reiner Gegenwärtigkeit inszenieren konnte, sondern sich zunehmend der verschiedenen Erzählmethoden (der Zeitraffung, der exemplarischen wie der Darstellung im Überblick usw. –[39]) bedienen mußte, bei einem Handlungsablauf von großer, nur mit allen epischen Mitteln zu bewältigender Ausdehnung von 42 Jahren (1835-1877). *Renée Mauperin* bringt dagegen ja einen einzigen Jahresumlauf, von 1855 auf 1856[40], der wegen der Ausgliederung aller Vorgeschichten in die Erzählblöcke so exemplarisch ausgewählte unmittelbare Gegenwart in den vorherrschenden Gesprächskapiteln (mit dem Zusammenfall von Erzählzeit und erzählter Zeit) ist, daß von daher die Erzähltechnik sich zwingend ergibt. Es ist jene, die Thomas Mann wegen ihrer »Leichtigkeit, Geglücktheit und Präzision« (XI, 380), wegen ihrer »raffinierten Exaktheit« und »Scheinleichtigkeit« (X, 248), wegen der »Anmut und Klarheit der Komposition« (XIII, 137) bewunderte und nachzuahmen sich anschickte; es ist – mit dem Stilbegriff umschrieben – der Impressionismus dieses Romans, der in der Tat Eindrücke des Augenblicks sammelt, sie als Momente des Lebens reiht und als für sich bestehende Inseln oder Punkte des minutiösen Erlebens in der Art des Pointillismus (auch dies eine Vorwegnahme der Goncourts) anordnet, so daß sich erst für den zurücktretenden Betrachter das Bildganze zusammenfügt. Dies gilt für den aus 65 Kapiteln komponierten Roman von schmalem Umfang im strengen Sinne freilich erst nach dem zeitlich straff und deutlich aufgewiesenen Geschehensverlauf der ersten 21 Kapitel mit der Exposition der Badeszene in der Seine und der Familiengesellschaft, mit dem kommentierenden Epilog dazu und allen weiteren absichtsvollen Schritten der energisch Handelnden (Frau Mauperin, Henri, Frau Bourjot), bis hin zur Verabredung von Henris Heirat und Titel-Erwerb. (Bezeichnend für Renées zeitenthobenes, reines Sein, das die zielgerichteten Handlungen nicht kennt, ist das gerade in diesen Geschehensablauf eingelassene 11. Kapitel von zeitlicher Unbestimmtheit, das Renée im Atelier zeigt, beim Malen eines Stillebens – »mit Pinseln, fein wie Nadeln« [S. 83] – und im gelassenen, rein betrachtenden Gespräch mit Denoisel über Schönheit und Liebe.) Wo der Roman dann (und nach dem nochmaligen – relativ datierten – dramatisch-novellistisch gespannten Geschehensschub der Duell- Kapitel 34 – 40) sein eigentliches Thema, die seelische Analyse der Titel-Gestalt, neu erreicht und fortführt, tritt sein den Handlungsverlauf mehr einhüllender als deutlich konturierender Erzählstil vollends hervor. Das Stilprinzip gilt neben der Gestaltung dieser Romanpartien im ganzen auch für die Sehweise, die der erst ein Jahrzehnt nach dem Roman an die Öffentlichkeit tretenden impressionistischen Malerei[41] analog ist, bei der Wiedergabe von Natureindrücken, etwa in dieser Partie aus dem 1. Kapitel:

> Kleine Wolken zogen spielerisch über den Horizont, violett, grau, silberweiß mit hellschimmerndem Rand, der den Saum des Himmels mit Meerschaum zu überziehen schien. Darüber erhob sich der Himmel, unendlich und blau, tief und klar, glänzend und schon erblassend wie zu der Stunde, wo die Sterne nach dem Schwinden des Tageslichtes zu schimmern beginnen. Ganz oben schwebten regungslos zwei oder drei dichte Wolken in schwindelnder Höhe. Eine Fülle von Licht ergoß sich über das Wasser, blieb hier stehen, funkelte dort, streifte einen Mast, die Spitze eines Steuerruders, und glitt dann auf das orangene Taschentuch oder den rosigen Rock einer Wäscherin hinab (S. 7).

Das ist jedoch beileibe kein Landschaftsbild um seiner selbst willen. Mit aller Behutsamkeit und feinnervigen künstlerischen Dezenz bringen die Goncourts hier – ohne jede aufdringliche

Symbolik – eine beziehungsvolle, subtile Interpretation des zarten Wesens der Renée Mauperin selbst zustande (indem sie diesen Natureindruck aus ihrer eigenen sensiblen Beobachtungsfähigkeit hervorgehen lassen: »›Sehen Sie nur, wie schön sich alles in dieser Stunde von hier ausnimmt...‹ Und mit einem Blick umfaßte sie die Seine, die beiden Ufer und den Himmel.«) – alles ist da versammelt, Renées spielerische Anmut auf ernstem Hintergrund, die ihre Umwelt beglänzende Lichtfülle ihres Wesens, aber auch schon ihr ergreifendes Hinsterben als hier noch kaum zu ahnendes Geschick, das jedoch auch mit ihrer rührenden Vaterbindung zu tun hat. Und für den Pointillismus der Erzählweise steht als wohl äußerstes Beispiel des unverbundenen Nebeneinanders von Wahrnehmungen jenes kürzeste (57.) Romankapitel ein, das ein in sich geschlossenes, in sich wiederum impressionistisches Genrebild bietet und es dem Leser überläßt, seine insgeheim schmerzende Bedeutung für die aus dem Leben (und einem nicht mehr zu erfahrenden Mutterglück) hinschwindende Renée nachzufühlen:

> Als sie einmal aus dem Fenster schaute, sah sie eine Frau mitten auf der Dorfstraße zwischen einem Steinhaufen und der Fahrbahn im Staub sitzen und ihr kleines Kind aus den Windeln nehmen. Auf dem Bauche liegend und mit dem Oberkörper im Schatten, zappelte das Kind mit seinen kleinen Beinen in der Sonne und kreuzte seine Füße. Die Sonne strahlte freundlich darauf herab, wie sie eben auf die Nacktheiten der Kinder herabzustrahlen pflegt; ihre Strahlen, die es streichelten und liebkosten, schienen einen ganzen Korb mit Rosen über seine Füße zu streuen [...] Als die Mutter mit dem Kind schon längst wieder fortgegangen war, sah Renée noch immer hin (S. 245).

Solche Stellen bezeichnen eher den Abstand als die künstlerische Nähe zu Thomas Manns Roman, in dem sich weder so subtile Naturbilder noch eine derart hintergründige Symbolik oder gar die äußere Beziehungslosigkeit von kleinsten Erzähleinheiten finden. Gerade die Artistik der Goncourts, die Weise des Erzählens in kleinen Abschnitten aber soll es ja gewesen sein, die Thomas Mann selbst zum Roman motivierte. Und hierin nun erweist sich in der Tat ein Zusammenhang zwischen der Lektüre des jungen Thomas Mann und seinem entstehenden Roman. *Renée Mauperin* mit seinen 65 Kapiteln (bei räumlich

großzügigem Druck auf 261 Seiten) zeigt ein absolutes Überge-
wicht kurzgliedriger Erzähleinheiten: allein 33 Kapitel halten
sich im Umfang unter 3 Seiten; nimmt man die Kapitel von 3 bis
6 Seiten Umfang hinzu (23), verbleiben nur 9 Kapitel, die (je
zwei) 9, 10 oder 14 Seiten oder (je eines) 7, 12 oder 18 Seiten
umfassen. Die Subtilität des Erzählens der Goncourts wird noch
sprechender bei einer Aufschlüsselung der kürzesten Kapitel: 4
von je einer halben Seite, 6 von einer, 5 von anderthalb, 14 von
zwei, 4 von zweieinhalb und 8 von drei Seiten Umfang. (Die
Kapitelzahlen für dreieinhalb, vier, fünf und sechs Seiten
Umfang betragen 1, 4, 6 und 4.) Die Kapitel mit der längsten
Ausdehnung befinden sich im Roman weit vorn (3., 5., 6., 12.,
22., und 35. Kapitel); je mehr sich der Romanvorgang verinnerlicht, die Zusammenhänge zwischen Familienvorgängen und allgemein gesellschaftlich- politischen Beziehungen aufgibt, um so
kürzer werden die impressionistisch gereihten Erzählabschnitte.
Der Punkt ist sogar genau zu bezeichnen, wo dies eintritt: nach
dem Tod Henris im Duell (38. Kapitel). Die folgende pastellfar-
ben verhauchende Darstellung vom Hinschwinden Renées, die
von ihrem Schuldgefühl verzehrt wird, geschieht in den letzten
27 Kurzkapiteln, von denen nur 3 es überhaupt auf drei bis dreieinhalb Seiten Umfang bringen (12 unter zwei Seiten liegen).
Verinnerlichung der Darstellung bei den Goncourts heißt Kunst
der Aussparung, der Andeutung – ein an fernöstliche Lyrik
erinnerndes Kunstprinzip (und auch auf den Umstand, daß die
Goncourts mit Aquarellmalerei begannen, auf die Vermittlung
japanischer Kunst wäre hinzuweisen – Edmond allein veröffentlichte noch 1893 *L'art japonais* und 1891 und 1896 Arbeiten
über Utamaro und Hokusai). In den *Buddenbrooks* verläuft die
Darstellungslinie in umgekehrter Richtung – auch dort ja begibt
sich mit zunehmender Entfaltung des Romangeschehens ein
Prozeß der Verinnerlichung, jedoch mit der formalen Konsequenz einer vom VIII. Teil an einsetzenden Verbreiterung der
Kapitel[42], während alle (32) Kapitel der ersten drei Teile im
Schnitt weit unter 9 Seiten Umfang bleiben (diese nur zweimal
erreichen) und auch die Teile V und VII Gleiches zeigen.[43] Verinnerlichung der Darstellung in den *Buddenbrooks* bedeutet
psychologische Analyse, und das heißt Ausführlichkeit der Darstellung der inneren Vorgänge und ihre Interpretation durch den
Erzähler selbst. (Der Extremfall des 50-seitigen 2. Kapitels im
XI. Teil – I, 700 – 751 – als exemplarische Erzählung eines Tages
aus Hannos Leben steht dabei ganz für sich, als erkennbarer –

autobiographisch bestimmter – Kern des Romans, von dem aus Thomas Mann die Motivation für das Erzählen der Familiengeschichte im ganzen fand. Der Vergleich mit dem sogar noch kürzeren I. Teil des Romans zeigt auch die Entwicklung des Erzählens selbst auf: eine Aufgliederung des Schulkapitels – wie des I. Romanteils – in einzelne Einheiten wäre wegen der einheitlichen Erzählperspektive – aus der Sicht Hannos – nicht sinnvoll, während die Erzählperspektive des I. Teils vielgliedrigen Vortrag möglich machte.) Geht man nun nicht vom fertigen Roman, sondern von seiner Entstehungsgeschichte aus, so wird man Goncourt-Einfluß gerade auf den 1. Teil der *Buddenbrooks* erkennen. Denn hier gestaltet Thomas Mann selbst in den an *Renée Mauperin* bewunderten kleinen Erzähleinheiten, hier auch herrscht die durch das Gespräch bewirkte Gegenwärtigkeit des Geschehens, in die nach dem medias in res-Beginn alle erforderlichen Expositionselemente mühelos eingebracht werden. Das Prinzip des Goncourt-Romans, die Vorgeschichten in Erzählblöcken einzusetzen, wäre dann noch in jenem 1. Kapitel des II. Teils der *Buddenbrooks* erkennbar, wo der Erzähler das autobiographische Material der Familienpapiere situationsgerecht einfügte und zugleich seinem anregenden Muster folgen konnte. – Je mehr Thomas Mann aber zur epischen Entfaltung der Familiengeschichte durch vier Jahrzehnte vordrang (nach diesem etwa siebenstündigen Geschehen des Einleitungsteils[44]), je mehr auch die stützende, stärkende Lektüre der großen russischen Epik das eigene Vorhaben von langem Erzählatem kräftigte, um so weniger konnte der Goncourt- Einfluß im Artistischen sich halten. Die Aufgaben waren anders als in *Renée Mauperin*, wo das Geschehen auf zwei Ereignisse zuläuft und von dort aus vererbt: auf »Henris perfide Intrige, mit der er Madame Bourjot, seine frühere Geliebte, austauscht gegen ihre Tochter, die er zu heiraten beabsichtigt; und das Duell zwischen Henri, der sich für diese Heirat einen Adelstitel zulegen muß, und dem rechtmäßigen Besitzer des Titels, der von Renée in einem Augenblick der Entrüstung einen Hinweis erhalten hat.«[45]

Ein Unterschied der Gestaltung selbst in den Kurzkapiteln aber ist bei dem jungen Thomas Mann schon, soweit er noch dem Goncourt-Muster anhing, wahrzunehmen: Der gesamte I. *Buddenbrooks*-Teil bildet in seinen 10 Kapiteln eine fortlaufende Handlung, die Kapitelgrenzen werden zu Scheinmarkierungen, indem sie sich nach kleinen Handlungszäsuren und nach den einzelnen Gängen der einen Mahlzeit (4.-6. Kapitel) richten, sie werden zweimal (zum 5. und 10. Kapitel) auch geradezu inhaltlich übersprungen durch unmittelbare Fortführung von Gespräch und Situation. *Renée Mauperin* dagegen bietet gerade in seinem (3.) Kapitel des Familientreffens, das nach der Seine-Badeszene und dem Rückblick auf die Lebensgeschichte Herrn Mauperins die Romanhandlung in ähnlicher Gesprächsstrategie eröffnet wie das Einweihungsfest der Buddenbrooks, den längsten geschlossenen Erzählabschnitt des Romans überhaupt (S. 16-34). Offensichtlich übertrug Thomas Mann das Kleinstruktur-Verfahren der Goncourts hier auf eine Erzählsituation, die ihm bei seinem Vorbild selbst formal anders begegnet war, die er im übrigen vollkommen als Muster vorfand und in seinem Stoff nachbilden konnte. Denn die Tischunterhaltung der Mauperins und ihrer Freunde (bei der der Verlauf der Mahlzeit nur knapp angedeutet ist – S. 20 f. und 30) stellt die gleiche Exposition für die kommende Handlung in einer gleichsam noch statischen Gesprächs-Szene dar wie das Fest der Hauseinweihung in den *Buddenbrooks* – alle Charakteranlagen der handelnden Personen sind bereits hier entfaltet. Und wie Thomas Mann seinen I. Roman-Teil mit einem epilogartigen Kapitel voller Konfliktelemente (durch den Brief Gottholds) schließt, so folgen dem Mauperin-Familientreffen in den Kapiteln 4 und 5 zwei zugehörige Kommentar-Epiloge, bestritten durch die aufbrechenden Gäste (Denoisel und Henri) und durch Frau Mauperin und ihren in ein nächtliches Gespräch gezwungenen Gemahl, in denen Renée und Henri Gesprächsgegenstand, Objekte der perspektivischen Analyse als bereits hier erkennbare Schlüsselfiguren der weiteren Romanhandlung sind.

Eine Erklärung dafür aber, daß Thomas Mann seinem Goncourt-Muster für den I. Teil der *Buddenbrooks* nicht streng im Formalen folgte, bietet ein Blick auf seine Stärkungslektüre, auf Tolstois *Krieg und Frieden*. Bei Tolstoi nämlich fand er gleich am Romanbeginn eine entsprechende Gesellschaftsszene, den Empfang Anna Pawlownas, des Hoffräuleins der Kaiserin, für die Spitzen der Petersburger Aristokratie. Die Gespräche (deren beherrschendes Thema Napoleon und die Ermordung des Herzogs von Enghien ist, in denen es auch eine Napoleon-Anekdote gibt – was beides sich kurz in den *Buddenbrooks* wiederfindet – I, 28/29) erscheinen bei Tolstoi aber teilweise nur angedeutet, verkürzt und durch Beschreibung der Situation ersetzt. Was von der ganzen Szene formal für den Einleitungsteil der *Buddenbrooks* modellhaft geworden zu sein scheint, ist ihre Aufteilung in einzelne Kapitel trotz fortlaufender Handlung: Das aus fünfzehn Teilen und einem Epilog bestehende monumentale Erzählwerk Tolstois bringt diesen Empfang mit seinen Gesprächen in den ersten 6 Kapiteln des Ersten Teils (wobei der Schluß des 6. Kapitels nach einer Zäsur gleich noch auf einen anderen Schauplatz hinüberleitet und die dortige Szene eröffnet). – Thomas Mann verknüpfte für seinen einleitenden Romanteil also die szenische Aufgliederung Tolstois mit den artistischen Anregungen, die ihm der Goncourt-Roman mit der vollen Gegenwärtigkeit des Geschehens durch ganz ausgeformte Gesprächspartien sonst vermittelte.

Die Gliederung der epischen Großform wiederum (in Teile und Kapitel) übernahm Thomas Mann offenbar von Tolstoi (– es ist die Ordnung der Erzählmassen auch bei Dostojewski, Gogol, Gontscharow oder Stendhal). In diesem Betracht stand der Autor der *Buddenbrooks* anderen europäischen Romanschriftstellern fern: Dickens, der wie Thackeray gleichlange Kapitel zu reihen pflegt (mit wenigen Ausnahmen im Sinne des Tolstoi-Musters wie *Hard Times, A Tale of Tro Cities, Our Mutual Friend*), Zola, der sehr unterschiedlich verfährt, zuweilen wie Tolstoi (wie in *Germinal*) oder wie Dickens (z.B. in *Nana*) oder in weiträumige Kapitel gliedert (wie in *La Fortune des Rougon*), oder gar Balzac, der auf gliedernde Einteilung nahezu ganz verzichtet.

Die Faszination Thomas Manns durch die Goncourt'sche Erzählkunst nun ist nicht von deren Gegenstand zu trennen. Unglaubhaft wäre es, wenn das Entzücken über den Roman sich auf seine formalen Besonderheiten und Qualitäten beschränkt haben sollte, eben weil diese Kunstleistung vom Wesen der Hauptfigur des Werkes nicht abzulösen, vielmehr deren Ausdruck ist. Unverkennbar auch spielt die Stelle von der »Leichtigkeit, Geglücktheit und Präzision dieses in ganz kurzen Kapiteln komponierten Werkes« (XI, 380) in der Rede von 1926 auf jene Phasen der Romanhandlung an, auf die solche Charakterisierung am meisten zutrifft, nämlich auf die durch Andeutung und Aussparung geleistete Seelenanalyse der kranken Renée der letzten 27 Kapitel. Der junge Thomas Mann, dem nach den Worten seines Bruders Heinrich die Idee der werdenden *Buddenbrooks* – das Thema des Verfalls und der geistig-künstlerischen Verfeinerung absteigenden Lebens – allein gehörte, fand hier in dem Roman der Goncourts gerade sein zentrales eigenes

Thema mit faszinierend adäquaten Kunstmitteln gestaltet. So wird *Renée Mauperin* selbst mit ihrem subtilen ästhetischen Wesen, mit ihrer seelischen Problematik und ihrem stillen Verlöschen zum Leitbild für die Gestaltung jener zerbrechlichen, dem fordernden Dasein nicht gewachsenen Figur, um derentwillen Thomas Mann sein langwieriges Romanunternehmen letztlich betrieb: für Hanno Buddenbrook.

Mustert man *Renée Mauperin* in allen Bereichen der Handlung auf etwaige Einflüsse hin durch, so bleibt dies als das eigentlich Entscheidende. Schon im Vergleich der *Buddenbrooks* mit dem Roman der Goncourts wird die spätere Haltung Thomas Manns zur französischen Literatur exemplarisch sichtbar. Denn die gesellschaftliche, politische Komponente der *Renée Mauperin*, wie sie sich in der gesamten Handlung um Henri, in den von Herrn Bourjot oder vom Abbé Blampoix repräsentierten Kreisen äußert, bedeutete für den späteren Kritiker Zolas offensichtlich nichts Wesentliches. Zwar holte sich der junge deutsche Roman-Autor auch aus solchen Bereichen die eine und andere Modellsituation und –haltung. Das 12. Kapitel mit dem Besuch der Mauperins bei den Bourjots enthält eine Billardspiel-Szene mit einem politischen Nahezu-Monolog Bourjots, der einstmals Karbonaro-Revolutionär war und inzwischen zur Mentalität des Geld-Aristokraten überging, über die Haltung der selbstbewußten Handwerker klagt und aus seiner Vergangenheit den Antiklerikalismus auch im Legitimistenstand bewahrt (S. 98-102) – der Autor der *Buddenbrooks* weiß sich solche Gesprächssituation zunutze zu machen, um einen Disput über die handelspolitische Lage angesichts des Zollvereins und eines möglichen Beitritts Lübecks in elegant-zierlichen Dialogen im Billardsaal des neuen Hauses zu inszenieren (I, 38-43, bes. 41 f.). – Das 31. Kapitel bringt eine ironische Kontroverse Denoisels mit Bourjot über die Herrschaft der Bourgeoisie, über Geld und Gleichheit, das Recht auf Revolution oder das Einfrieren des gesellschaftlichen Zustandes (S. 170-179) – noch kein Modell einer Satire, auf die später Heinrich Mann (gleich im *Schlaraffenland*-Roman) bei dieser Thematik ausgeht, aber atmosphärisch wegen der durchgehenden Ironisierung des Bourjot-Standpunktes Thomas Mann nahe. Und jedenfalls hat der skeptisch-ironische Denoisel dem noch ganz idealistisch-naiv analysierenden Morten Schwarzkopf, der in Tony Buddenbrook die »Adlige«, eine »Prinzeß« erkennt (I, 140), die Auffassung von der Bourgeoisie als der neuen (Geld-)Aristokratie zu überliefern (S. 178). Der Unterschied zwischen den Goncourts, die durchaus auch den Skeptiker Denoisel die Hinfälligkeit dieser neuen Aristokratie beschwören lassen, und Thomas Mann, der die von Morten gesehenen Unterschiede gelten und nicht weiter in Frage stellen läßt, ist dennoch nicht zu übersehen. – Ähnlich steht es mit den von Thomas Mann erst durch den Verlauf seines Romans, nicht durch die Haltung der Beteiligten widerlegten Gewohnheiten, Ehen vorrangig unter finanziellen Aspekten einzugehen und zu beurteilen – eine bei der Lage der Frau (ohne Ausbildung und Beruf) erklärliche Haltung einer ganzen Epoche. Indem die Goncourts solche Zahlenspiele mit Mitgift und Rente (die schon bei Balzac, ja Molière ständig im Gespräch sind) in der entsprechenden Gesellschaftssphäre ansiedeln – beim Abbé Blampoix (S. 61/62) und Henri (S. 67), bei Frau Davarande (S. 137) und auf parodistischer Ebene bei Denoisel (S. 163) –, indem sie – wie bereits Molière in *Le malade imaginaire* mit der Argan-Tochter Angélique (I, 5 und II, 7) – durch Renées Abweisung aller Bewerber die gesellschaftliche Gewohnheit in Frage stellen, kritisieren sie offener, direkter als der distanzierte Analytiker des Verfalls fragwürdige Übungen der Epoche. (Die Darlegung der Vermögensverhältnisse in den *Buddenbrooks* aber noch steht in der Tradition solcher im Realismus ausgeformten Literaturthemen.) Sie tun dies – wie in allen gesellschaftskritischen Fragen dieses Romans – am wirksamsten mit den Mitteln der (Fontane wie Thomas Mann besonders verwandten) skeptischen Ironie, die Denoisel übt. Dieser aber spielt zum andern auch eine Rolle, die der Mentalität des *Buddenbrooks*-Autors, seinem pessimistischen Moralismus weit weniger benachbart ist als den Lebensplänen des jungen Heinrich Mann. Der im 30. *Mauperin*-Kapitel skizzierte Lebenswandel Denoisels, seine Vermögenseinteilung und das auf Zeit eingegangene Liebesleben im Luxus (S. 168) lesen sich wie eine direkte Vorlage für Heinrich Manns 1893 fixierten »Plan«, »einen Monat einer existence supérieure« in Paris durchzuspielen, um »wenigstens einmal aus meiner Beschränkung einen Ausflug [zu] machen in jenen Lebenskreis, wo die Blume blüht, aus deren Duft ich eine Essenz zu fabriciren habe.«[46] Am weitesten entfernt von der in den *Buddenbrooks* gestalteten Lebensstimmung ist die Henri-Handlung des *Mauperin*-Romans, mit der gesellschaftsbedingten Duell-Situation; sie ist für Thomas Manns Werk ganz ohne Belang (– die *Zauberberg*-Ausnahme – III, 969 – 980 – mit dem selbstzerstörerischen

Ende Naphtas ist nur in dem weiteren Rahmen des dargestellten Ideenkampfes verstehbar). Sie fand eher bei dem »Gebrüder-Goncourt-Schwärmer« Fontane[47] zeitverwandte, aber bereits skeptisch zersetzte Nachfolge, wie ja *Effi Briest* überhaupt durch die Verwandtschaft Renées mit der ganz jungen und der späten, reuig hinsterbenden Effi und der sie umgebenden sternenhaften Szenerie eine Beziehung zu dem französischen Roman nahelegt.

So bleibt die Gestalt der Renée Mauperin selbst als der offensichtlich stärkste Eindruck des jungen Thomas Mann in den *Buddenbrooks* gegenwärtig. Das programmatische Ziel der Goncourts bei der Konzeption dieser Mädchenfigur war es gewesen, »ein Gemälde von *dem modernen jungen Mädchen* zu entwerfen, wie es sich durch die künstlerische und unweibliche Erziehung der letzten dreißig Jahre herausgebildet hat.«[48] Was auch immer dieses Vorhaben im Blick auf die Entwicklung der Romanfigur selbst gewesen sein mag, ob die Goncourts eine kritische Charakteranalyse meinten: gewiß ist, daß Renée jenseits solcher Absichten eine der eindrucksvollsten, rührendsten Gestalten der Weltliteratur wurde, wegen ihrer unnachahmlichen Mischung von Keckheit, Frische, Anmut und Verträumtheit, die sich unter dem Eindruck ihres Schuldgefühls in Ergebung und rührende, zarte Fürsorge für die sich um sie Sorgenden wandelt.[49] Es ist für eine Betrachtung, die dem Eindruck auf den jungen Autor der *Buddenbrooks* nachzugehen versucht, voller Belang, diese Gestalt von Anfang an – trotz ihrer emanzipiert-selbstbewußten, lebenszugewandt-sportlichen Haltung (sie schwimmt und reitet leidenschaftlich) – ganz in der Kunst aufgehen zu sehen. Renée im Atelier und am Klavier: das ist das der Zeit enthobene, entrückte Mädchen, das nicht der Welt der Zwecke ringsum angehört. Die Darstellung ihres Klavierspiels im 3. Kapitel zeigt ein in Tanzfiguren aufgelöstes elfisches Wesen, das selbst Musik geworden ist:

Sie bewegte die Schultern. Sie wiegte sich, als ob jemand sie umschlungen hielte. Ihr ganzer Körper gab den Rhythmus an. Ihre Haltung deutete lässig einen flüchtigen Tanzschritt an. Dann wandte sie sich dem Piano zu; ihr Kopf begann sanft den Takt zu schlagen; zugleich mit den Händen eilten die Augen über die weißen und schwarzen Tasten. Auf die Musik lauschend, die sie spielte, schien sie die Töne anzuschlagen oder ihnen zu schmeicheln, mit

ihnen zu sprechen, zu grollen, ihnen zuzulächeln, sie ein-
zuwiegen und einzuschläfern. Sie ließ einzelne Klänge hervortreten, sie spielte mit der Melodie; sie machte kleine
zärtliche Bewegungen und kleine leidenschaftliche Gebärden; sie bückte sich und erhob sich wieder [...] und die
Finger des Mädchens liefen so schnell über die Tasten, als
flögen Rosenblätter darüber hin (S. 31).

Hier sind die valeurs der Musik nicht nur in Sprache umgesetzt,
sondern in der Gestik der Spielenden sichtbar gemacht. Und bei
aller sonstigen Verschiedenartigkeit der Renée dieses Lebens-
stadiums von Hanno Buddenbrook, dem von Anbeginn Lebens-
ängstlichen, von dem der Organist Pfühl sagt: »Später einmal im
Leben, das vielleicht seinen Mund immer fester verschließen
wird, muß er eine Möglichkeit haben, zu reden [...].« (I, 502) –
die Hingabe an das Medium der Kunst ist beiden im Moment
des Spiels gemeinsam. Bei Hanno ist sie getragen von der Selig-
keit der Auflösung, die Thomas Mann mit allen technischen
Mitteln (der Harmonielehre) auch hier schon (so lange vor dem
Doktor Faustus) genau macht – ob es sich um die Phantasie handelt, die der Achtjährige seiner Familie vorführt (I, 504-507),
oder um jenes andere eigene Musikstück, das der Todesbereite
als metaphysisch verstehbare, dem *Tristan* entlehnte Brücke hin-
über ins Jenseits sich erbaut (I, 747-750). Renée Mauperin
kennt das auch, das Hingenommensein von der Lebenstrauer,
sie, die von sich sagt: »Von Natur aus bin ich doch eher lustig«
(S. 153); auch für sie gibt es (wie für Gabriele in Thomas Manns
Tristan) verbotenes Gebiet in der Musik, Chopins Trauer-
marsch, der sie zu bitterlichem Weinen bringt (»Oh, ich wußte
wohl, welche Wirkung er auf mich haben würde... aber ich bin
verrückt danach, mich dadurch zu Tränen rühren zu lassen« – S.
152). Und der spätere Autor des *Tod in Venedig*, der dieser
Stadt von früh an verfallen war, mußte bei seiner Lektüre in
Rom aufmerken, wenn er in eben diesem Musikkapitel das
Sehnsuchtsbekenntnis Renées zu dieser rätselvollen Stadt las:
»Auf mich übt Venedig eine eigentümliche Wirkung aus [...]
Für mich [...] ist es eine Stadt, in der alle Musiker begraben
werden müßten« (S. 154). Die Verschwisterung von Schönheit
und Tod, von Musik und Auflösung war Thomas Mann von früh
an eine geläufige Vorstellung gewesen. Er konnte sich durch solche Stellen im Goncourt-Roman nur bestätigt fühlen. Gerade
weil aber Renée als eine von Klang und Farbe umflossene Licht-

gestalt von Anfang an in diesem Roman unter der Aura des Besonderen steht, weil ihr lange vor der äußeren Motivation durch die Duell-Geschichte schon angemahnter Tod vor dem des einzig geliebten Vaters dieser Gestalt den rührend ernsten Hintergrund gibt, wird die Geschichte ihres Sterbens, ihres langen Dahinschwindens zum zentralen Thema der seelischen Analyse und mußte das gespannte Interesse des mit gleichen Gedanken für sein Werk umgehenden Thomas Mann finden, ihn zu immer wiederholter Lektüre reizen.

Dieser seelische Prozeß des letzten Roman-Fünftels nun ist es, der Schritt für Schritt seine Bezüglichkeiten für den jungen deutschen Leser in Rom und seinen Zusammenhang vor allem mit dem Geschehen um den letzten Buddenbrook enthüllt. Das beginnt mit der Feststellung des Krankheitsbefundes: hier die Herz-Hypertrophie Renées, in einem Dialog zwischen Arzt und Vater eingekreist im Wechsel von medizinischer Analyse, vergeblicher Rückführung auf Psychisches und der tragisch-ironischen Verwerfung der zutreffenden These vom »Einfluß der Leidenschaften auf das Herz« (S. 216 – 218) – dort die klinisch exakte, nüchterne, unbeteiligte Lehrbuchanalyse des Typhus (I, 751 – 754); Glossierung der ärztlichen Fähigkeiten, seit Molières schneidender Satire des *Malade imaginaire* Bestand der Weltliteratur, bei den Goncourts wie bei Thomas Mann. Erst allmählich enthüllt sich bei Renée, was Hanno schon früh bekundet: ihre Bereitschaft, ihr Wille zum Tode, gegen den der Vater verzweifelt wie vergeblich kämpft. Mauperins qualvolles Umherirren in Paris endet mit dem schreckensvollen Kontrast des inneren Blickes auf seine Tochter als Sechsjährige und der Sentenz eines mechanisch gelösten Bilderrätsels: »Gegen den Tod ist kein Kraut gewachsen« (S. 224). Solchen Kontrast enthält (ironisch und doch ungeheuerlich gesehen) Thomas Manns Roman für eine ganz frühe Lebensstufe, wo noch das hintergründige Vordeutungssystem des Autors eintritt für den klinischen Ablauf – im Taufkapitel der *Buddenbrooks* mit Groblebens düsterem Kontrapunkt des »wi müssen all tau Moder warn, tau Moder ... tau Moder ...« (I, 401). Auf dieser Stufe des Krankheitsverlaufs findet sich noch Renées Ja zum Leben (S. 225); nach der Rückkehr in das Kindheitsparadies von Morimond (mit seinem das Weltende, das Lebensende bezeichnenden Namenssymbol) – dem Hanno Buddenbrooks immerwährende Sehnsucht nach seinem Travemünder Kindheitsglück der Wunschlosigkeit im Sinne Schopenhauers entspricht – gewinnt das Einverständnis mit dem Tode sanfte Gewalt über Renées Denken: »Das Leben entwich aus ihr, ohne daß sie sich Mühe zu geben schien, es zurückzuhalten. [...] Die heraufsteigende Dunkelheit umgab sie auch mit Frieden. Sie ließ den Tod ihrer reinen Seele näher kommen wie einen schönen Abend« (S. 236). Die Analytiker des Sterbens verfolgen bei ihrem Geschöpf einen seelisch subtilen, sachte, schrittweise, durch lange Zeiträume sich begebenden Vorgang – es ist nicht die Geste der Abwehr gegen den Ruf des Lebens, das Sich-vorwärts-flüchten des Kranken »auf dem Wege, der sich ihm zum Entrinnen eröffnet hat« (I, 754), wie es das Typhus-Kapitel auf Hanno bezieht, sondern ein ruhiges Einverstandensein mit dem Verrinnen des Daseins. Die Kontraste bringt die Umwelt (zuweilen auch eigenes Wünschen der Todkranken) in diesen Ablauf hinein: den Einfluß des Todes auf das Leben der anderen, »das schmerzliche Leben derer, die nicht mehr hoffen und immer nur warten, ein Leben voller Angst und Zittern, das verzweifelte, bebende Leben dessen, der beständig auf das Nahen des Todes lauscht, ein Leben, in dem man den Lärm im Haus und sein eigenes Schweigen fürchtet, eine Bewegung im Nebenzimmer ebenso wie Stimmen, die sich erheben und näher kommen, eine Tür, die sich schließt, das Gesicht, das einem beim Eintreten öffnet und das man mit einem Blick fragt, ob es hier noch Leben gibt« (S. 224). Der Todesreigen der *Buddenbrooks* ist vielfältig, das Sterben Hannos zwischen die Kapitel ins Schweigen gebannt. Aber die bei den Goncourts bestätigte Erfahrung des jungen Thomas Mann taucht schon beim ersten Sterben, dem der alten Madame Antoinette, im Roman auf: »da änderte sich gleichsam die Physiognomie des Hauses. Man ging auf den Zehen umher, man flüsterte ernst, und die Wagen durften nicht über die Diele rollen. Etwas Neues, Fremdes, Außerordentliches schien eingekehrt, ein Geheimnis, das einer in des anderen Augen las; der Gedanke an den Tod hatte sich Einlaß geschafft und herrschte stumm in den weiten Räumen« (I, 71). – Die wiederholte Lektüre der *Renée Mauperin* mochte Thomas Mann manches dauerhafter einprägen als nur für die Entstehungszeit der *Buddenbrooks*. Der Besuch Renées auf dem Friedhof (»Ihre Augen waren auf ein wenig aufgeworfene Erde in einer Ecke des Kirchhofes gefallen« – S. 236), ihr Schaudern vor der Fleischlichkeit des Menschen, der dort verfällt – das könnte als ferne Erinnerung noch zu jener Szene am Ende des »Totentanz«-Abschnitts im 5. *Zauberberg*-Kapitel beigetragen haben, wo die

Vettern mit der moribunden Karen Karstedt den tief verschneiten Friedhof aufsuchen und vor dem »flachen Plätzchen von Menschenlänge, eben und unbelegt, zwischen zwei aufgebetteten« in Gedanken und voller Neugier zugleich verharren (III, 448). Das Thema des Sterbens, in dieser Epoche bis zu Proust und Martin du Gard, bei Rilke wie bei Thomas Mann immer mächtiger, detaillierter, unheimlicher entfaltet, hat bei den Goncourts noch ganz klinisch-realen Charakter, wo es um die Herausbildung des Todes in Gestalt und Physiognomie Renées geht (»Dann kommen die gräßlichen Veränderungen des Äußeren, die langsam die Züge unkenntlich machen, allmählich die Person vernichten und unter der ersten Berührung des Todes die Gestalten, die man liebt, in halbe Leichen verwandeln«, S. 233). Im Totenreigen der *Buddenbrooks* ist solcher Vorgang bei dem, der trotz seiner vielen Leiden am wenigsten stirbt, bei Christian, gedehnt und ins Zeichenhaft-Symbolische der allmählichen Ausbildung einer Totenschädel-Physiognomie beim Lebenden verwandelt (bes. I, 404). Gegen die Häßlichkeit der Krankheit aber setzt Renée die Liebe zum Schönen, eine »Eitelkeit des Sterbens« (S. 243), die an einer äußersten Grenze jenem gegen den Verfallsprozeß gesetzten Drang nach dem Ästhetischen bei Thomas Buddenbrook gleicht. Während aber Thomas Mann als unerbittlicher Analytiker des Verfalls den Schein von der Wahrheit wegzieht, finden die Goncourts zu mystischer Verklärung des Todes. Auf dem Wege dorthin gibt es noch Analogien: Das 55. *Mauperin*-Kapitel zeigt Renée inmitten der einschläfernden Natur, eines aus tiefem Schweigen sich erhebenden unbestimmten Schwirrens, »das an das monotone Summen eines Bienenschwarms und das endlose Rauschen des Meeres erinnerte« (S. 240). Und die Szene reicht hinüber zur Auslöschung der Individuation, zum Erlebnis metaphysischer Einheit: »Nach und nach verlor sie das Bewußtsein ihres körperlichen Seins; das Gefühl und die Qual des Lebens fielen von ihr ab; eine köstliche Schwäche bemächtigte sich ihrer, und es kam ihr so vor, als sei sie schon halb aus dem Dasein geschieden und ganz bereit, in den göttlichen Urquell alles Seins überzugehen« (S. 241). Im Erlebnis der »unermeßlichen Helligkeit des Himmels« (S. 241) vor der Tiefe des Weltraums vollzieht sich der Sprung, der Übergang aus der Welt: »Und müde, sich in dieses Lichtmeer zu versenken, das immer zurückwich, geblendet durch diese riesige Zahl von Sonnen, schloß sie von Zeit zu Zeit die Augen vor dem Abgrund, der sich schon auf sie hinabsenkte und sie zu sich emporzog« (S. 242). Thomas Buddenbrook findet auf andere, diskursiv-philosophische Weise, im Erlebnis der Philosophie Schopenhauers zur Erkenntnis vom Irrtum der Individuation, vom »Glück« des Todes, der »die Rückkunft« darstellt »von einem unsäglich peinlichen Irrgang, die Korrektur eines schweren Fehlers, die Befreiung von den widrigsten Banden und Schranken« (I, 656). Der Unterschied bleibt bemerkenswert: Für die Goncourts ist die Güte des Daseins verbürgt, der Weltgrund von höherer Qualität, aber kein Gegensatz zur diesseitigen Welt. Thomas Mann erfährt mit Schopenhauer die Gespaltenheit des Weltganzen, die Aufhebung der Individuation als Ende der Qual, die mit dem Leben grundsätzlich gegeben ist. Entsprechend läßt er Thomas Buddenbrook das Meer erleben, im Pessimismus des vom Leben Ermüdeten:

> Breite Wellen [...] Wie sie daherkommen und zerschellen, daherkommen und zerschellen, eine nach der anderen, endlos, zwecklos, öde und irr. Und doch wirkt es beruhigend und tröstlich, wie das Einfache und Notwendige. [...] Was für Menschen es wohl sind, die der Monotonie des Meeres den Vorzug geben? Mir scheint, es sind solche, die zu lange und tief in die Verwicklungen der innerlichen Dinge hineingesehen haben, um nicht wenigstens von den äußeren vor allem eins verlangen zu müssen: Einfachheit [...] (I, 671)

Hanno erlebt das Meer gleich quietistisch, wenn »die kleinen Wellen mit leisem Plaudern wider die Steinblöcke klatschten und die ganze Weite ringsum von diesem gelinden und großartigen Sausen erfüllt war, das dem kleinen Johann gütevoll zusprach und ihn beredete, in ungeheurer Zufriedenheit seine Augen zu schließen« (I, 633). Für ihn geht die Musik mit dem Meer eine Gefühlsverbindung ein, die zu eben der Aufhebung des Willens führt, die der Senator in der Philosophie Schopenhauers zeitweilig begreift.

Das monatelange Siechtum Renées, ihr lange andauerndes Verlöschen werden von den Goncourts durch retardierende Momente gegliedert und erträglich gemacht. Eine Szene wie die des 59. Kapitels mit Renées nervösen Angstzuständen während eines Gewitters, dessen elektrische Wellen sie durchdringen und quälen (S. 248/249) – Thomas Mann läßt den Konsul Buddenbrook unter einem entsprechenden atmosphärischen Druck hin-

ter der Szene sterben (I, 247-249), – führt noch zu einer Schluß-
wendung, in der das »Ach, ich glaubte schon, wir wären beide
tot!« (S. 249) unter halb bedauerndem Lächeln verschwindet.
Aber in der Mystik der Schlußszenen trennen sich die Auffas-
sungen der Goncourts von denen ihres jungen Lesers. Es sind
eher Rilke'sche Todeserfahrungen, die man am Ende des 63.
Kapitels als denen der Goncourts verwandt empfindet: »auf
Augenblicke hallten ihre Worte von jenseits der Erde und des
Lebens herüber, und nach und nach senkte sich eine Art heili-
gen Schreckens, aus der Feierlichkeit des Dunkels und des
Schweigens, aus der Nacht und dem Tode kommend, auf das
Zimmer hinab, wo Herr und Frau Mauperin und Denoisel alles
hörten, was von der Sterbenden schon in dieser Stimme ent-
floh!« (S. 258) Entsprechend einer solchen Entfremdung
erscheinen im vorletzten Kapitel die Dinge stumpf-abweisend
gereiht und jedes für sich stehend. Sie bezeugen das Entschwin-
den der Seele. Die Mystik der Darstellung konzentriert ihren
Schein ein letztes Mal auf die Sterbende: »der Tod nahte sich ihr
wie ein Lichtmeer. Es war die Verklärung im letzten Stadium
dieser Herzkrankheiten, welche die Sterbenden in die Schönheit
ihrer Seele hüllen und das Antlitz der jungen Toten zum Himmel heben« (S. 261).

Die Mystik dieses Schlusses ist der von rationaler analytischer
Klarheit durchzogenen, dabei ins Symbolische hinaufreichenden
Gedanken- und Bilderwelt der *Buddenbrooks* denkbar fern. Sie
ließe sich vielmehr neuromantisch- symbolistischen Dichtungen
(wie z.B. Heinrich Manns früher Novelle *Das Wunderbare*) vergleichen. Der Hinweis zeigt die Weite der künstlerischen Aus-
drucksmöglichkeiten der Goncourts.

Wenn Thomas Mann dennoch unter dem einbekannten starken Eindruck dieses Werkes stand, als er die *Buddenbrooks*
schrieb, so muß das Gründe haben, die mit dem Kernthema sei-
nes später zur episch breiten Darstellung der Schicksale von vier
Generationen ausgeweiteten ersten Romans zu tun haben. Man
hat sich daran gewöhnt, in der Geschichte des »Verfalls einer
Familie« zugleich die literarische Analyse des verfallenden Bürgertums zu sehen. Die Frage aber ist zu stellen, was es damit in
Wahrheit auf sich hat. Denn weder entspricht die weitere
Geschichte der Mann-Familie jenem düsteren, hoffnungslosen
Gemälde, das der junge, in das Künstlertum entwichene
Abkömmling Lübecker Patrizier voller lyrischer Melancholie
und musikerfüllten Pessimismus von ihr entwarf, noch entsprach

seine eigene spätere – überall, auch in allen Stationen des Exils durchgehaltene – Existenzform großbürgerlichen Zuschnitts oder seine 1926 (in *Lübeck als geistige Lebensform*) gegebene Definition des Bürgerlichen als der »Idee der *Mitte*« (XI, 396) der mit dem Verfallsgedanken verbundenen Vorstellung vom endgültigen Abschied des Bürgertums, von seinem Ausscheiden aus der geschichtlichen Welt. Zwar meint Thomas Mann 1926 seinen Begriff von Bürgerlichkeit als Ausdruck einer »geistigen Lebensform«, nicht als etwas »Klasseninteressenmäßiges«; zwar meint er diesen Begriff als Synonym für »Weltbürgerlichkeit, Weltmitte, Weltgewissen, Weltbesonnenheit, welche sich nicht hinreißen läßt und die Idee der Humanität, der Menschlichkeit, des Menschen und seiner Bildung nach rechts und links gegen alle Extremismen kritisch behauptet« (XI, 397). Und er sprach in dieser Rede vom Bürger als dem Verursacher der »großen Befreiungstaten des umwälzenden Geistes«, vom »Willen« gar und der »Berufung zur höchsten Entbürgerlichung, zum höchstgefährlichen, ja vernichtenden Abenteuer des versuchenden Gedankens« als dem »*Freibrief*, den kein Kaiser dem bürgerlichen Menschen, den der Geist selber ihm ausgestellt hat.« Aber es ist zu fragen, warum das alles dennoch mit dem Begriff des Bürgers belegt bleibt. Eine Antwort ist am Ende der Rede enthalten in der Analyse der eigenen Existenz: hier spricht ein »bürgerlicher Erzähler, der eigentlich sein Leben lang nur *eine* Geschichte erzählt: die Geschichte der Entbürgerlichung – aber nicht zum Bourgeois oder zum Marxisten, sondern zum Künstler, zur Ironie und Freiheit ausflug- und aufflugbereiter Kunst.« Und damit stellt sich ernstlich die Frage, ob überhaupt Thomas Manns Roman-Gestaltung wie seine Analyse mit sozialen Umwandlungsprozessen etwas zu schaffen hat. »Ein bürgerliches Menschentum«, heißt es sogar weiter mit dem Vorrang dieses Begriffs für das Selbstverständnis, »das sich im Überklassenmäßig-Künstlerischen ironisch bewährt, ist unfähig der Renitenz gegen das sich verjüngende Leben. Aber ebensowenig ist es fähig, aus Feigheit und Anschlußangst an das Neue seine Wurzeln und Herkunft, seine tausendjährige Überlieferung, die bürgerliche Heimat zu verleugnen.« (XI, 398) Das wäre immer noch, nun dialektisch raffiniert verfeinert, die Definition Tonio Krögers vom »Bürger, der sich in die Kunst verirrte« (VIII, 337) – wenn nicht aus der Unsicherheit des zwischen den zwei Welten des Bürger- und Künstlertums Stehenden inzwischen die Sicherheit ironischer Freiheit geworden wäre, eines verschlagenen

Spiels mit den Gegensätzen, über denen der unabhängige Geist steht, der dem Leben in Güte wohlwill durch alle Abenteuer und Verwandlungen hindurch. Weder diese noch die frühere Position aber war Sache dessen gewesen, der in den *Buddenbrooks* als die früheste, noch kindlich-unerwachsene Vorform des Künstlers den Verfeinerungsprozeß im physischen Abstieg zu repräsentieren hatte. Hanno Buddenbrook – das ist Thomas Manns Werther, eine Frühstufe auf dem Weg zum schöpferischen Künstlertum, aber unfähig wie zum Leben auch zur Kunst, die eben auch Arbeit, Aktivität ist, nicht nur das Auskosten von Stimmungen[50]; Hanno Buddenbrook – das meint das Sentimentale des jungen Menschen, der die Kunst als Heimat erkennt gegenüber der Fremde des Lebens, der mit ihr zugleich das Reich des Absoluten gewonnen glaubt gegenüber der Welt beengender Verpflichtungen. Nicht der »Verfall einer Familie«, auch nicht der »Verfall« des Bürgertums kann das Primäre im Entwurf dieses Romans beim jungen Thomas Mann gewesen sein. Die Buddenbrooks folgen in Auf- wie Abstieg den Ratenkamps, und das endgültige Schicksal der Hagenströms, denen nach ihnen die Weltstunde gehört, ist so offen wie das der Buddenbrooks selbst zu der Zeit, in der dieser Roman einsetzt. Die Konzeption dieses epischen Prozesses nahm von der anderen, die Verfallslinie durchkreuzenden Linie der Verfeinerung, der geistigen, künstlerischen Sublimierung ihren Ausgang. Die Frage, wie einer Künstler geworden sein könne nach der Reihe der Praktiker des Lebens, steht am Beginn. Sie führt zu jener poetischen Konstruktion des Verfalls, der biographisch gar nicht stattfand.[51] Und in Hanno Buddenbrook formulierte Thomas Mann jenes sentimentale Verhältnis zur Kunst, das einer pubertären Stufe angehört, das er selbst in seiner Entwicklung als schöpferischer Künstler längst hinter sich gelassen hatte als eine frühe Lebensstufe, die er mit seinem Mitgefühl für die Zartheit, Zerbrechlichkeit, das Ungeschützte einer allein gelassenen, vom Leben ausgeschlossenen Existenz umgab. Jenes kürzeste Kapitel der *Buddenbrooks* am Ende des VII. Teils (I, 436/437), die eine Seite, die das spielende Kind in seiner altersgemäßen Versunkenheit in sich selbst nicht nur, sondern in einer ungeheuren Isolierung von der Welt, vom scharfen, kriegerischen Leben zwischen 1864 und 1866 vorführt, es so gleich radikal dem äußersten, dem brutalsten Leben gegenüberstellt – es ist ein bleibendes Gleichnis für das Verhältnis dieses auf immer vom Leben abgetrennten, in die Kunst sich flüchtenden Menschen.

Für die Darstellung, für die künstlerische Bezwingung dieser Lebensstufe und dieser seelischen Problematik konnte Thomas Mann in den skandinavischen Romanen, die seiner Familien- und Kaufmannsgeschichte als Modelle dienten, kein Vorbild finden[52] – wenn er es (um der literarischen Formung willen) überhaupt außerhalb seiner selbst suchen mußte.

Hier aber liegt die eigentliche, letzte Bedeutung der *Renée Mauperin* für ihren jungen Leser in Rom. Nicht das Politische, das Soziale, das der Roman der Brüder Goncourt auch enthielt (aber in einer früheren Phase seines Ablaufs), wurde dem angehenden Autor der *Buddenbrooks* wesentlich, sondern die Seelen- und Krankheitsanalyse der Renée Mauperin, deren Herzkrankheit eher äußerlich – durch das Schuldgefühl gegenüber dem gestorbenen Bruder – motiviert scheint. Denn Renée Mauperin ist durch ihre ausschließliche Vaterbindung – bei aller scheinbaren Vitalität während der früheren Roman-Phasen – seelisch untüchtig zu einem alleinigen Weiterleben ohne ihren Vater. Ihr Gebet um einen Tod vor dem des Vaters erweist das – noch vor aller späteren Begründung des schließlichen Sterbens. Das aber macht sie zu einer Schwester Hanno Buddenbrooks, bei aller Verschiedenheit der Temperamente sonst. Auch sie steht bei dieser latenten Unfähigkeit, das Dasein losgelöst von ihrem väterlichen Lebensgrund zu bestehen, außerhalb eines Lebens nach den Gesetzen des eigenen Wachstums, ohne Zukunft da – dies allein auch bedeutet letztlich die Abweisung aller 14 Bewerber[53], deren Zahl von den Erzählern wohl deshalb ins absurd Unmäßige gesteigert worden ist. Auch sie hat ihre Refugien. Lauten sie bei Hanno Musik und Meer, sind es bei ihr die Elemente Wasser und Luft (beim Schwimmen und dahinjagenden Reiten[54]), Malerei und auch Musik und jene überquellende, ins Koboldhafte gehende Lustigkeit und Neckerei, auf deren Grund doch zugleich Trauer anwesend ist. Auch sie ist dem Zweckhaften, der Zeitlichkeit des Daseins enthoben, und ihr Eingehen in eine von den Brüdern Goncourt mystisch verklärte Ewigkeit, die ihr die Lichtfülle entgegensendet, deren sie selbst so viel besaß und über die Menschen ausgoß, ist eine Rückkehr in die Heimat derjenigen, die in der Welt zuletzt (ohne den Vater) heimatlos wäre. Wehmut, Trauer und Verfall auch hier. Das lapidare, epiloghaft weite Zukunftsperspektiven aufweisende Schlußkapitel des Romans zeigt in der krassen Umkehrung des natürlichen biologischen Ablaufs die verwaisten Eltern auf der Flucht vor sich selbst und den Schatten ihrer gestorbenen Kinder (auch des letzten, dritten, das die Erzähler mit einer Zeile austilgen):»Heimatlos irren sie über die Erde, fliehen die Gräber und tragen noch die Toten mit sich, suchen ihren Schmerz durch die Mühsal der Wege zu ermüden und schleppen ihr Leben zu allen Weltenden, nur um es aufzuzehren!«(S. 261) Lebenspessimismus hier wie am Ende der *Buddenbrooks*, wo die Überlebenden nur noch die bange Frage nach der Ewigkeit zu stellen vermögen, ohne daß es mehr als ironisch reduzierte Gewißheit gäbe.

Was Thomas Mann bei den Goncourts fand, war dies im letzten: die unlösbare Frage nach dem Sinn des Sterbens für die Überlebenden, eine Frage, die dem Pessimismus des werdenden Autors der *Buddenbrooks* so voll entsprach, daß er dieses Werk [als einziges] der französischen Literatur von faszinierender Bedeutung für sich im eigenen Schaffensprozeß erlebte. Darum nahm er es später ehrend in seinen Dank an die Weltliteratur auf.

Anmerkungen:

1. Zitiert wird nach: Thomas Mann, *Gesammelte Werke* in zwölf Bänden (I-XII). Fischer-Verlag 1960. *Nachträge* Band XIII, 1974. Thomas Mann, *Briefe 1889 – 1936* (I), 1962; *1937 – 1947* (II), 1963; *1948 – 1955 und Nachlese* (III), 1965. Fischer-Verlag. Bei den im Text erwähnten essayistischen Arbeiten handelt es sich um folgende Titel:
   Der französische Einfluß (1904) – X, 837-839
   Versuch über das Theater (1908) – X, 23-62
   Betrachtungen eines Unpolitischen (1918) – XII, 7-589
   Nationale und internationale Kunst (1922) – X, 867-874
   Kosmopolitismus (1925) – X, 184-191
   Lübeck als geistige Lebensform (1926) – XI, 376-398
   Hundert Jahre Reclam (1928) – X, 239-250
   Lebensabriß (1930) – XI, 98-144
   ›*Que pensez-vous de la France?*‹ (1943) – XI, 436-438
   Brief an Joseph Angell vom 11.V.37 (Briefe II, 22-25)
   On myself (1940) – XIII, 127-169
   Vorwort zu einer Schallplattenausgabe der ›*Buddenbrooks*‹ (1940) – XI, 549-552
   Meine Zeit (1950) – XI, 302-324
   Humor und Ironie (Beitrag zu einer Rundfunkdiskussion) (1953) – XI, 801-805
2. Zur Bedeutung C. F. Meyers für Thomas Mann s. Hans Wysling, »›Geist und Kunst‹. Thomas Manns Notizen zu einem ›Literatur-Essay‹«. In: *Thomas Mann-Studien I*. Bern 1967, S. 152 f.
3. Dies geschieht zunehmend im Alter; vgl. *On myself*: »Später trat Fritz Reuters ›Stromtid‹ hinzu, die unsere Mutter uns vorlas, so daß ich also der Form

des Romans zuerst auf Plattdeutsch gewahr wurde; ein Eindruck, der später bei der Ausarbeitung meines eigenen ersten Romans, der ›Buddenbrooks‹, mit seinem niederdeutschen Milieu, nicht ohne fruchtbare Folgen geblieben ist« (XIII, 133/134). – *Humor und Ironie*: »[...] der niederdeutsche Humor, der sich ausdrückt in dem Werk Fritz Reuters, einem der ersten literarischen Eindrücke, des mir überhaupt zuteil wurde und der in diesem Buch sehr stark nachwirkt« (XI, 803).

4. S. Klaus Matthias, *Thomas Mann und Skandinavien*. Lübeck 1969. Dort weitere Literatur.

5. Alois Hofmann, *Thomas Mann und die Welt der russischen Literatur*. Berlin 1967, mit dem Abschnitt »Tolstois und Turgenjews humanistischer Realismus in den ›Buddenbrooks‹«, S. 200-229. Zu Turgenjew nachzutragen – und zu verarbeiten – wäre die Stelle mit genaueren Angaben in *On myself*: »vor allem Turgenjew habe ich immer wieder gelesen, ›Frühlingswogen‹, ›Erste Liebe‹, ›Ein König Lear der Steppe‹, vor allem aber seine ›Väter und Söhne‹, die ich noch heute zu den geglücktesten Meisterwerken des europäischen Romans rechne« (XIII, 134).

6. So beschränkt sich Erich Heller, *Thomas Mann. Der ironische Deutsche*. Frankfurt a. M. 1959, auf den Satz: »Noch unmittelbarer aber ist's von Skandinaviern, weniger bedeutenden, beeinflußt und vor allem von ›Renée Mauperin‹ der Brüder Goncourt« (S. 14). – Eberhardt Lämmert (Thomas Mann. Buddenbrooks. In: *Der Deutsche Roman* II, hg. v. Benno von Wiese. Düsseldorf 1963, S. 190-233) markiert immerhin die Richtung des möglichen Einflusses: »Die nach Selbstzeugnissen entscheidende Lektüre des Romans ›Renée Mauperin‹ der Brüder Goncourt schärfte sein Interesse für die psychologische Motivierung des Gesamtverlaufs wie der einzelnen Handlungsschritte und ließ ihn zur Technik der sorgfältig verschlüsselten Eingänge und der kurztaktigen Kapitelfügung finden« (S. 196). – Ähnlich Eberhard Hilscher (*Thomas Mann. Sein Leben und Werk*. Berlin 1968): »Die Aufgliederung der ›Buddenbrooks‹ in kleine, wohlgeordnete, gleichsam novellistische Kapitel und die Dialogtechnik hingegen sind im wesentlichen dem Roman ›Renée Mauperin‹ der Brüder Goncourt verpflichtet. Hier wie dort bemerken wir die vermittelten Gesprächseinsätze, die impressionistische Augenblickserfassung und die nachholende Erklärung der Vorgänge« (S. 27). – Herbert Lehnert (*Thomas Mann– Fiktion, Mythos, Religion*. Stuttgart 1965) referiert nur in zwei Zeilen Selbstzeugnisse Thomas Manns (S. 62) und beglaubigt die Auslösungsfunktion des Buches für den jungen Roman-Autor (S. 64). – In seinem Bericht *Thomas-Mann-Forschung* (Stuttgart 1969) schreibt Lehnert z. T. stark verkürzend: »Das Studium von Einflüssen ist ein außerordentlich beliebtes akademisches Thema; im Falle von Thomas Mann hat es nur zu sehr unbefriedigender Aufklärung geführt. [...] die Haupteinflüsse auf Thomas Mann waren deutsche, daneben kommen nur noch russische Schriftsteller in Übersetzung als bedeutende Einflüsse in Frage. Am Anfange seiner Schriftstellerlaufbahn haben auch einige Franzosen wie Bourget und die Goncourts eine gewisse Rolle gespielt, auch später Joseph Conrad und Knut Hamsun. [...] Was wir über Einflüsse wissen, geht nur wenig über das hinaus, was Thomas Mann uns hat wissen lassen, trotz nun schon häufiger Mahnungen zur kritischen Betrachtung der Selbstinterpretationen« (S. 98). – Die Bibliographie von Harry Matter (*Die Literatur über Thomas Mann*. Berlin und Weimar 1972. Bd. 1/2) verzeichnet keine Untersuchungen über Thomas Manns Ver-

hältnis zu den Goncourts.

7. Theodor Fontane, *Sämtliche Werke*. Abteilung Aufsätze, Kritiken, Erinnerungen. Zweiter Band: *Theaterkritiken*. München 1969. Zitat S. 831. Datenangaben in den Anmerkungen, S. 1035; dort auch ein Brief Fontanes vom 27. 7. 1895, wo er sich als »ein Gebrüder-Goncourt-Schwärmer« bekennt.

8. Vgl. zur Entstehungsgeschichte des *Felix Krull* Hans Wysling, »Archivalisches Gewühle«. In: *Thomas-Mann-Studien*, Erster Band, Bern 1967, S. 234-257. Der hier aufgewiesene Quellenbefund gibt nichts für die Frage her, ob etwa auch die Zirkus-Thematik bereits zur ersten Gesamtkonzeption gehört hat. Das Zirkus-Kapitel wird in dieser Untersuchung erstmals im Zusammenhang mit einer *Krull*-Lesung aus dem Manuskript in Zürich am 24. 9. 1951 erwähnt – S. 253.

9. S. Klaus Matthias, *Thomas Mann und Skandinavien*, S. 39.

10. In *On myself* heißt es über die Wendung des jungen Thomas Mann zur erzählenden Literatur (ohne Datierung): »Meine Konzentrierung auf die Prosa begann bei der Berührung mit europäischer Erzählkunst, mit den großen Werken der Franzosen, Russen und Skandinavier, die zur Zeit der naturalistischen Bewegung und Lufterneuerung, also in den neunziger Jahren des vorigen Jahrhunderts, in Deutschland ihren Einzug hielten. Zola, Tolstoi, Turgenjew waren meine Götter« (XIII, 134). Die Hervorhebung Zolas fällt als vereinzelt auf; sie wird durch Zeugnisse, die vor diesem Text (1940) liegen, nicht bestätigt.

11. Brief an Ida Herz. *Briefe* III, S. 304.

12. Die Briefstelle enthält vor dem Zitierten zwei vorausgehende Sätze, die in *Schwere Stunde* eingepaßt sind. Der Brief-Wortlaut »Nur bei Damen und Dilettanten sprudelt es« erscheint in *Schwere Stunde* abgewandelt als »Nur bei Stümpern und Dilettanten ...«.

13. Brief an Philipp Witkop. *Briefe* I, S. 331.

14. S. zu den Einflüssen von Bourget und Balzac auf Heinrich Mann Klaus Schröter, *Anfänge Heinrich Manns. Zu den Grundlagen seines Gesamtwerks*. Stuttgart 1965, bes. S. 18-42 und 115-158.

15. Ulrich Weisstein, »Heinrich Mann und Gustave Flaubert«. In: *Euphorion* 57. 1963, S. 132-155. Zitat S. 133.

16. Weisstein, a. a. O., S. 151.

17. So – allerdings ohne nähere Ausführungen – André Banuls, *Heinrich Mann*. Stuttgart 1970, S. 110.

18. Darüber Näheres bei Ulrich Weisstein, *Heinrich Mann*. Tübingen 1962, S. 24-27.

19. Vgl. Weisstein, *Heinrich Mann*. S. 208. Der hier nur formal geführte, angedeutete Vergleich beruht auf der Verführung durch Schmuck. Maupassant zeigt das Gegeneinander von nüchterner Realität und romantischer Traumwelt, in die sich Madame Loisel versetzt, die sie unter Opfern und mit einer langen Buße für eine Ballnacht verwirklicht; der Schluß, der das Illusionäre eines vermeintlich großen Verlustes und seiner lebenzerstörenden Folgen aufdeckt, ist voll bitterer Ironie. Heinrich Mann gestaltet mehr punktuell, auf das übermächtig gewordene, die Lebensperspektive momentan ausfüllende Begehren hin und erreicht eine eher formale Tragik mit dem nur zusätzlich psychisch motivierten Ende. – Weisstein nennt (S. 207) auch Flaubert und Balzac als Vorbilder für die Erstlingsnovellen Heinrich Manns, ohne aber Nachweise zu führen.

20. Vgl. in *Fulvia* die Rolle der dreifarbigen Schärpe, die Fulvia anlegt bei der
    Pflege verwundeter Freiheitskämpfer wie zum Schutz gegen die Liebe Ore-
    stes, bevor er sich dem Freiheitskampf anschließt. Bezeichnend die Gleich-
    stellung von Fulvia und Freiheit am Schluß: »Er starb für dich.‹ ›Schweigt!‹
    befahl Fulvia. ›Er fiel für die Freiheit.‹« (Heinrich Mann. *Novellen*. Hamburg
    1963, S. 238. Die früheren Bezugsstellen: S. 232, 234.) – Wie sehr Heinrich
    Mann in solchen Szenen von französischen Vorstellungen geleitet ist, zeigt
    etwa Zolas erster *Rougon-Macquart*-Roman *La Fortune des Rougon* mit der
    Steigerung Miettes als Fahnenträgerin (Ende des 1. Kapitels) zur Freiheits-
    göttin der modernen Massenbewegung Aufständischer gegen die Etablierung
    des Kaiserreichs Napoleons III. in der Tradition der Jungfrau von Orleans:
    »Die Kapuze, von ihrem Haarknoten gehalten, saß ihr wie eine phrygische
    Mütze auf dem Kopf. Sie ergriff die Fahne, drückte den Schaft an ihre Brust
    und stand hochaufgerichtet da, umwallt von den Falten des blutroten Ban-
    ners, das hinter ihr flatterte. Auf ihren verzückten Kindergesicht mit seinem
    Kraushaar, den großen feuchten Augen, den zu einem Lächeln leichtgeöffne-
    ten Lippen, lag ein Zug von kraftvollem Stolz, als sie es zum Himmel empor-
    wandte. In diesem Augenblick ward sie zur Heiligen Jungfrau der Freiheit.«
    (Zitiert nach Emile Zola *Rougon-Macquart. Natur- und Sozialgeschichte einer
    Familie unter dem Zweiten Kaiserreich*, hg. v. Rita Schober. Bd. I: »Das
    Glück der Familie Rougon«. Winkler Verlag, München o. J., S. 51.)
21. Vgl. dazu Novellen wie *Der Liebestrank, Die Fürstin Campobasso* (anderer
    Titel: *San Francesco a Ripa*), *Vittoria Accoramboni, Die Cenci, Die Herzogin
    von Palliano*.
22. Der Stendhal-Essay Heinrich Manns hat so auch als Bekenntnis zu gelten; in
    ihm versammelt sich das Interesse des Essayisten am Werk auf die drei gro-
    ßen Romane. – S. auch Banuls, *Heinrich Mann*. S. 74.
23. Dies arbeitet Jürgen H. Petersen in seinem Aufsatz »Die Märchenmotive und
    ihre Behandlung in Thomas Manns Roman ›Königliche Hoheit‹« – in:
    Sprachkunst 1973, S. 216-230 – heraus. Das Politische (den Zustand der Wil-
    helminischen Gesellschaftsspitze) sucht in der neuesten Untersuchung zu die-
    sem Roman – »Über die Grenzen humoristischer Liberalität. Zu Thomas
    Manns Roman ›Königliche Hoheit‹« (*Wirkendes Wort* 1974, S. 250-267) –
    Burghard Dedner gerade aus seiner Verhüllung ins Unwirkliche herauszufil-
    tern, im Sinne von Lukács' These von der dem Autor unbewußten Selbstge-
    staltung der Wirklichkeit im Werk.
24. Heinrich Mann, *Zola*. In: H. M., *Essays*. Hamburg 1960, S. 154-240; Zitat S.
    188.
25. Heinrich Mann, *Zola*, S. 184.
26. Heinrich Mann, *Zola*, S. 187.
27. »Der Staatsstreich, der das Glück der Bonapartes im alten Glanz hatte aufer-
    stehen lassen, begründete auch das Glück der Rougons.« Zola, *Das Glück
    der Familie Rougon*, S. 474. Früher (S. 461) heißt es bereits von Félicité: »Sie
    hielt Einzug in ihre Tulerien.«
28. Ein Textvergleich in einzelnen zeigt kleine Änderungen. 1932: »Man fragt
    sich, ob Emile Zola durch religions-geschichtliche Erinnerungen bestimmt
    wurde, als er seiner symbolischen Heldin, der Astarte des Zweiten Kaiser-
    reichs, diesen lockenden Namen gab. Wahrscheinlich nicht. Er hat ihn ›erfun-
    den‹ – was eben der Mensch erfinden nennt.« (X, 755) – 1933: »Ist jene
    Astarte des Zweiten Kaiserreichs, Nana genannt, nicht ein Symbol und ein

Mythus? Woher hat sie ihren Namen? Er ist ein Urlaut, ein frühes, sinnliches Lallen der Menschheit; Nana, das war ein Beiname der babylonischen Ischtar. Hat Zola das gewußt? Aber desto merkwürdiger und kennzeichnender, wenn er es nicht gewußt hat.« (IX, 365) – Im Text von 1952 ist »Astarte« unverständlicherweise durch »Aspasia«, »Lallen« durch »Stammeln« ersetzt. (X, 930)

29. Katia Mann, *Meine ungeschriebenen Memoiren*. Hg. v. Elisabeth Plessen und Michael Mann. S. Fischer (Frankfurt) 1974, S. 36.

30. Katia Mann, *Meine ungeschriebenen Memoiren*. S. 35.

31. Heinrich Mann, *Ein Zeitalter wird besichtigt*. Düsseldorf 1974. Abschnitt »Mein Bruder« S. 215-226. Für Zitate aus dem Band werden im Text selbst die Seitenzahlen angefügt.

32. S. Klaus Schröter, *Thomas Mann*. rowohlts monographien Bd. 93. Reinbek bei Hamburg 1964, S. 54/ 55. Schröter faßt die im Text zitierte Passage aus dem Zeitalter-Band als Heinrich Manns Absicht auf, Gerüchten entgegenzutreten, die ›Buddenbrooks‹ seien »eine Gemeinschaftsarbeit à la Goncourts«.

33. Heinrich Mann, Zola. In: *Essays*. S. 182 und 174.

34. Banuls, *Heinrich Mann*. S. 48 und 74.

35. Erich Auerbach, *Mimesis. Dargestellte Wirklichkeit in der abendländischen Literatur*. Bern, 3. Aufl. 1964, S. 463.

36. Die entsprechenden Angaben in *Kindlers Literatur Lexikon* VI. Zürich 1971. Artikel »Renée Mauperin«, Spalte 158-160.

37. S. dazu Klaus Matthias,»Zur Erzählweise in den ›Buddenbrooks‹«. In: K. M., *Studien zum Werk Thomas Manns*. Lübeck 1967, S. 7-54.

38. Alle Seitenangaben nach der Ausgabe: Edmond und Jules de Goncourt, *Renée Mauperin*. Übersetzung von H. Meerholz. Bearbeitet von Constanze Wehmer. Vorwort Dr. Hans-Jörg Neuschäfer. Karlsruhe 1964. Diese Übersetzungs-Ausgabe ist eine bearbeitete Neu-Auflage der Reclam-Ausgabe (RUB Nr. 2136/2137, 1884), die Thomas Mann gelesen hat. Bibliogr. Angabe in *Kindlers Literatur Lexikon* Bd. VI, Sp. 160. Alle weiteren Romanstellen werden im Text ausgewiesen.

39. S. Klaus Matthias, »Zur Erzählweise in den ›Buddenbrooks‹«, a. a. O., S. 27-30.

40. Daten durch den Hinweis auf Henris Geburtstag, 12. Juli – S. 47 – zu erschließen; der Handlungsbeginn im Sommer und der späte neue Verweis auf den Geburtstag – S. 234 – ergeben den ungefähren Zeitraum.

41. 1874 findet die erste Ausstellung der Impressionisten in Paris statt (bei einem Photographen statt in dem verwehrten Pariser Salon). Der in der Kritik polemisch verwendete Titel eines Monet-Bildes (*Impression, soleil levant*) gibt der Richtung den Namen.

42. Die Längen der 9 Kapitel des VIII. Teils betragen 13, 9, 6, 11, 18, 13, 16, 26 und 5 Seiten, wobei der gegenüber der Goncourt-Ausgabe wesentlich engere Druck noch zu berücksichtigen ist.

43. Die 10 Kapitel des I. Teils haben folgende Seitenzahlen: 7, 4, 2, 6, 5, 3, 2, 5, 2, 6; die 7 des II. Teils: 9, 6, 4, 6, 5, 4, 7; die 15 des III. Teils: 9, 6, 6, 3, 8, 5, 5, 8, 4, 3, 5, 3, 4, 6, 3; die 9 des V. Teils: 9, 8, 8, 3, 6, 4, 3, 8, 6; die 8 des VII. Teils: 8, 4, 7, 5, 8, 5, 5, 1. – Eine Statistik der Länge aller 97 »Buddenbrooks«-Kapitel ergibt folgendes Verhältnis von Seitenzahl pro Kapitel zu Anzahl der Kapitel mit der jeweiligen Seitenzahl (diese in Klammern): 1 (1), 2 (3), 3 (11), 4 (9), 5 (16), 6 (12), 7 (5), 8 (14), 9 (6), 10 (3), 11 (3), 12 (2),

13 (3), 14 (1), 15 (1), 16 (1), 17 (1), 18 (2), 20 (1), 26 (1), 51(1).

44. S. I, 13: »gegen vier Uhr nachmittags« und I, 43: »gegen elf Uhr«.

45. Hans-Jörg Neuschäfer im Vorwort zu *Renée Mauperin*, S. XII/XIII.

46. Zitiert bei Hans Wysling, »Zum Abenteurer-Motiv bei Wedekind, Heinrich und Thomas Mann«. In: *Heinrich Mann 1871/1971. Bestandsaufnahme und Untersuchung*. Hg. v. Klaus Matthias. München 1973, S. 56/57. – Eine andere Besonderheit der *Renée Mauperin*, das Theaterspiel als Mittel zur Verdeutlichung von Handlungselementen im Romangeschehen selbst (S. 116-118), kennt auch Heinrich Mann in *Im Schlaraffenland*, den *Göttinnen*, in *Jagd nach Liebe*, in der *Kleinen Stadt*, dem *Untertan* und in *Eugénie oder die Bürgerzeit*.

47. S. Anm. 7.

48. Edmond de Goncourt im »Vorwort zur Buchfassung im Rahmen der ›Gesammelten Werke‹«, datiert 24. Januar 1875. *Renée Mauperin*, S. XV.

49. Josef Theisen (*Geschichte der französischen Literatur*. Stuttgart, 2. Aufl. 1969) wird mit seiner Charakterisierung des Romans (»die behagliche Atmosphäre des Bürgertums, in der zwei junge Menschen, Bruder und Schwester, mit modernen Allüren heranwachsen« – S. 239) solchem Charakterbild nicht gerecht.

50. Vgl. dazu im Gespräch Hannos mit Kai (dem rudimentären Schriftsteller-alter ego Thomas Manns) solche Stellen: »Was ist mit meiner Musik, Kai? Es ist nichts damit. Soll ich umherreisen und spielen? Erstens würden sie es mir nicht erlauben, und zweitens werde ich nie genug dazu können. Ich kann beinahe nichts, ich kann nur ein bißchen phantasieren, wenn ich allein bin. Und dann stelle ich mir das Umherreisen auch schrecklich vor [...] Mit dir ist es so anders. Du hast mehr Mut. [...] Du willst etwas schreiben, willst den Leuten Schönes und Merkwürdiges erzählen, gut, das ist etwas. Und du wirst sicher berühmt werden, du bist so geschickt. Woran liegt es? Du bist lustiger. [...] Ich möchte schlafen und nichts mehr wissen. Ich möchte sterben, Kai! [...] Nein, es ist nichts mit mir. Ich kann nichts wollen. Ich will nicht einmal berühmt werden.« Kais Reaktion auf die Wendung von der »verrotteten Familie«, aus der der Hanno stamme – »mit angespanntem Interesse« – ist ein Reflex der psychologischen Haltung des Erzählers des Verfallsprozesses selbst, die er hier an eine Figur weitergibt. (I, 743)

51. Man sehe dazu Viktor Mann, *Wir waren fünf. Bildnis der Familie Mann*. Konstanz. 3. Aufl. 1973: »Der Senator Mann, Produkt glücklicher Blutsmischungen, war trotz Verfeinerung und stärkerer Vergeistigung [...] weder ein müder Snob, noch überhaupt dekadent, wenn man nicht verstärkte Geistigkeit prinzipiell mit decadence oder die letztere mit der ersteren begründen und erklären will. Unser Vater bedeutete ohne Zweifel den Höhepunkt der Mann'schen großbürgerlichen Periode, und sein früher Tod war ein Ende dieser Zeit ohne langsamen Abstieg und Verfall, die eine dichterische Lizenz der Buddenbrooks sind.« (S. 16) »Abgekämpft und lebensmüde war er nicht.« (S. 17)

52. Näheres dazu bei Klaus Matthias, *Thomas Mann und Skandinavien*, bes. S.43/44.

53. S. 42: »Schon zehn Freier hat sie auf diese Weise abgefertigt.« – S. 183: »›Je nun‹, sagte Renée und begann zu lachen, ›so wie Sie mich hier sehen, habe ich soeben eine Heirat ausgeschlagen.‹ ›Wieder eine? Das scheint ja eine Spezialität von Ihnen zu sein.‹ ›Oh, es ist erst die vierzehnte ... Das ent-

spricht durchaus noch dem Durchschnitt.‹«

54. S. 6: »Die Luft, der Wind im Haar, die Hunde, die Jagdhörner, die Bäume,
die einem an den Augen vorüberfliegen... es ist, als ob man leicht berauscht
wäre! In solchen Augenblicken lebe ich, lebe ich wirklich.«

Rudolf Wolff
Bibliographie
(Auswahl)

Buddenbrooks. Verfall einer Familie
S. Fischer Verlag, Berlin 1901, in 2 Bänden.
2. Auflage erschien 1903 in einem Band.
Jubiläumsausgabe (50. Auflage), Berlin 1910.
100. Auflage (210 numeriert und signiert), Berlin 1918.
Taschenbuchausgabe: Fischer Verlag, Frankfurt a. M./Hamburg 1960.
Zahlreiche Sonder- und Volksausgaben.

SEKUNDÄRLITERATUR
A) Bibliographien

Bürgin, Hans: Das Werk Thomas Manns. Eine Bibliographie unter Mitarbeit von Walter A. Reichart und Erich Neumann. Frankfurt a. M. 1959.

Bürgin, Hans: Die Briefe Thomas Manns. Regesten und Register. Band 1: 1889 – 1933, Frankfurt a. M. 1976; Bd. 2: 1934 – 1943, Frankfurt a. M. 1980; Bd. 3: 1944 – 1950, Frankfurt a. M. 1982 (zus. m. Hans-Otto Mayer).

Matter, Harry: Die Literatur über Thomas Mann. Eine Bibliographie 1898 – 1969. Berlin-DDR/Weimar 1972.

Mayer, Hans-Otto: Die Briefe Thomas Manns. Regesten und Register (s. u. H. Bürgin).

Neumann, Erich: Das Werk Thomas Manns (s. u. H. Bürgin).

Neumann, Erich: Fortsetzung und Nachtrag zu Hans Bürgins Bibliographie ›Das Werk Thomas Manns‹. In: Georg Wenzel (Hrsg.), Betrachtungen und Überblicke. Zum Werk Thomas Manns. Berlin-DDR/Weimar 1966, S. 491 – 510.

Reichart, Walter A.: Das Werk Thomas Manns (s. u. H. Bürgin).

Wenzel, Georg: Thomas Manns Briefwerk. Bibliographie gedruckter Briefe aus den Jahren 1889 – 1955. Berlin-DDR 1969.

B) Bücher, Dissertationen, Sammelwerke

Abboud, Abdo: Deutsche Romane im arabischen Orient. Eine komparatistische Untersuchung zur Rezeption von Heinrich Mann, Thomas Mann, Hermann Hesse und Franz Kafka. Mit einem Überblick über die Rezeption der deutschen Literatur in der arabischen »Welt«. Frankfurt a. M./Bern 1984 (= Analysen und Dokumente. Bd. 18).

Anton, Herbert: Die Romankunst Thomas Manns. Begriffe und hermeneutische Strukturen. Paderborn 1972.

Arnold, Heinz-Ludwig (Hrsg.): Thomas Mann. Sonderband der Reihe Text + Kritik. Zweite erw. Auflage 1982.

Baumgart, Reinhard: Das Ironische und die Ironie in den Werken Thomas Manns. München 1964.

Bertschinger, Thomas: Das Bild der Schule in der deutschen Literatur zwischen 1890 und 1914. Zürich 1969.

Bludau, Beatrix (Hrsg.): Thomas Mann 1875 – 1975. Vorträge in München – Zürich – Lübeck. Frankfurt a. M. 1977 (zus. m. E. Heftrich, H. Koopmann).

Bürgin, Hans: Thomas Mann. Eine Chronik seines Lebens. Frankfurt a. M. 1965, ²1974 (zus. m. Hans-Otto Mayer).

Deutsche Akademie der Künste zu Berlin: Aus den Familienpapieren der Manns. Dokumente zu den *Buddenbrooks*. Berlin-DDR/Weimar 1965.

Diersen, Inge: Thomas Mann. Episches Werk, Weltanschauung, Leben. Berlin-DDR/Weimar 1975.

Ebel, Uwe: Rezeption und Integration skandinavischer Literatur in Thomas Manns *Buddenbrooks*. Neumünster 1974.

Fix, Peter: Das erzählerische Werk Thomas Manns. Entstehungsgeschichte, Quellen, Wirkung. Berlin-DDR/Weimar 1976.

Frizen, Werner: Zaubertrank der Metaphysik. Quellenkritische Überlegungen im Umkreis der Schopenhauer-Rezeption Thomas Manns. Frankfurt a. M./Bern 1980.

Grau, Helmut: Die Darstellung gesellschaftlicher Wirklichkeit im Frühwerk Thomas Manns. Diss., Freiburg i. Br. 1971.

Grüters, Walter: Der Einfluß der norwegischen Literatur auf Thomas Manns *Buddenbrooks*. Diss., Universität Bonn 1961.

Györi, Judith (Hrsg.): Thomas Mann und Ungarn (s. u. A. Mádl).

Hansen, Volkmar: Thomas Mann. Stuttgart 1984.

Hatfield, Henry: Thomas Mann. An Introduction to His Fiction. London 1952.

Hatfield, Henry: Thomas Mann. A Collection of Critical Essays. Englewood Cliffs 1964.

Heftrich, Eckhard (Hrsg.): Thomas Mann 1875 – 1975 (s. u. B. Bludau).

Heftrich, Eckhart: Vom Verfall zur Apokalypse. Frankfurt a. M. 1982.

Hilscher, Eberhard: Thomas Mann. Leben und Werk. Berlin-DDR 1965, [6]1978.

Hoeller, Franz: Studien zur epischen Technik der *Buddenbrooks*. Diss., Universität Graz 1928.

Hofman, Alois: Thomas Mann und die Welt der russischen Literatur. Ein Beitrag zur literaturwissenschaftlichen Komparatistik. Berlin-DDR 1967.

Hollweck, Thomas: Thomas Mann. München 1975.

Janssen, Horst: Selbstbildnisse zu ›Hannos Tod‹. XI. Kapitel aus den *Buddenbrooks* von Thomas Mann. 23 Radierungen zum Text. Herausgegeben von Joachim Fest. Rom 1975.

Jendreiek, Helmut: Thomas Mann. Der demokratische Roman. Düsseldorf 1977.

Johannsen, P.: Die seelische Passivität im Roman der Jahrhundertwende und ihre innere Überwindung. Diss., Universität Kiel 1933.

Karst, Roman: Thomas Mann oder der deutsche Zwiespalt. Wien/München/Zürich 1970.

Koopmann, Helmut: Die Entwicklung des ›intellektuellen‹ Romans bei Thomas Mann: Untersuchung zur Struktur von *Buddenbrooks, Königliche Hoheit* und dem *Zauberberg*. Bonn 1962, [3]1980.

Koopmann, Helmut: Thomas Mann. Konstanten seines literarischen Werks. Göttingen 1975.

Koopmann, Helmut (Hrsg.): Thomas Mann. Darmstadt 1975.

Koopmann, Helmut (Hrsg.): Thomas Mann 1875 – 1975 (s. u. B. Bludau).

Kurzke, Hermann: Thomas-Mann-Forschung 1969 – 1976. Ein kritischer Bericht. Frankfurt a. M. 1977.

Kurzke, Hermann: Auf der Suche nach der verlorenen Irrationalität. Thomas Mann und der Konservatismus. Würzburg 1980.

Kurzke, Hermann (Hrsg.): Stationen der Thomas-Mann-Forschung. Aufsätze seit 1970. Würzburg 1985.

Kurzke, Hermann: Thomas Mann. Epoche – Werk – Wirkung. (Arbeitsbücher zur Literaturgeschichte) München 1985.

Laxy, Helene: Der deutsche Kaufmannsroman von Thomas Manns *Buddenbrooks* (1901) bis zur Gegenwart (1926). Diss., Universität Köln, Bergisch-Gladbach 1927.

Lehnert, Herbert: Thomas-Mann-Forschung. Ein Bericht. Stuttgart 1969.

Liefländer-Koistinen: Zu Thomas Manns *Buddenbrooks*. Einige Überlegungen zu Darstellung und Funktion der Figur Tony Buddenbrooks. Oulu 1980 (Institut für Germanistik).

Locher, Kaspar: Thomas Manns *Buddenbrooks*: A Critical Commentary. New York 1966.

Mann, Viktor: Wir waren fünf. Bildnis der Familie Mann. Konstanz 1949.

Matthias, Klaus: Studien zum Werk Thomas Manns. Lübeck 1967.

Mayer, Hans-Otto: Thomas Mann. Eine Chronik seines Lebens. (s. u. H. Bürgin).

Mayer, Hans: Thomas Mann. Frankfurt a. M. 1980.

Mádl, Antal (Hrsg.): Thomas Mann und Ungarn. Köln/Wien 1977 (zus. m. J. Györi).

Mádl, Antal: Thomas Manns Humanismus. Werden und Wandel einer Welt- und Menschenauffassung. Berlin-DDR 1980.

Mendelssohn, Peter de: Der Zauberer. Das Leben des deutschen Schriftstellers Thomas Mann. 1. Teil: 1875 – 1918. Frankfurt a. M. 1975.

Mertz, Wolfgang: Thomas Mann, Wirkung und Gegenwart. Frankfurt a. M. 1975.

Miller, Ronald D.: Understanding Thomas Mann. An Essay on *Buddenbrooks* and *Tonio Kröger*. Harrogate 1966.

Müller, Fred: Thomas Mann: *Buddenbrooks*. Interpretation. München 1979.

Northcode-Bade, James: Die Wagner-Mythen im Frühwerk Thomas Manns. Bonn 1975.

Nowak, Georg Alexander: Das Bild des Lehrers bei den Brüdern Mann. Dissertation, Universität Pittsburgh, 1972 veröffentlicht: Bern/Frankfurt a. M. 1975.

Petersen, Jürgen: Die Rolle des Erzählers und die epische Ironie im Frühwerk Thomas Manns. Ein Beitrag zur Untersuchung seiner dichterischen Verfahrensweise. Diss., Köln 1967.

Pütz, Peter (Hrsg.): Thomas Mann und die Tradition. Frankfurt a. M. 1971.

Rohmer, Charlotte: *Buddenbrooks* und *Forsyte Saga*. Diss., Universität Würzburg, Nördlingen 1933.

Rosebrock, Theo: Erläuterungen zu Thomas Manns *Die Buddenbrooks*. Hollfeld/Oberfr. 1960.

Rothenberg, Klaus-Jürgen: Das Problem des Realismus bei Thomas Mann. Zur Behandlung von Wirklichkeit in den *Buddenbrooks*. Köln/Wien 1969.

Scharfschwerdt, Jürgen: Thomas Mann und der deutsche Bildungsroman. Eine Untersuchung zu den Problemen einer literarischen Tradition. Stuttgart 1967.

Schertel, Max: Thomas Mann und der genealogische Roman. Diss., University of Washington, Seattle 1938.

Schleifenbaum, Waldtraut: Thomas Manns *Buddenbrooks*. Ein Beitrag zur Gestaltanalyse von Dichtwerken. Diss., Universität Bonn 1956.

Schmidlin, Yvonne (Hrsg.): Bild und Text bei Thomas Mann. Eine Dokumentation (s. u. H. Wysling).

Schöll, Norbert: Vom Bürger zum Untertan. Zum Gesellschaftsbild im bürgerlichen Roman. Diss., Universität München, 1971; veröffentlicht: Düsseldorf 1973.

Schröter, Klaus: Thomas Mann in Selbstzeugnissen und Bilddokumenten. Hamburg 1964.

Schröter, Klaus: Thomas Mann im Urteil seiner Zeit. Hamburg 1969.

Schwan, Werner: Festlichkeit und Spiel im Romanwerk Thomas Manns: Die Entfaltung spielerischen Lebensbewußtseins von *Buddenbrooks* zur *Josephstetralogie*. Diss., Universität Freiburg i. Br. 1964.

Tribus, Helmut M.: Sprache und Stil in Thomas Manns *Buddenbrooks*. Diss., Ohio State University, Columbus 1966.

Tristan, Frédéric (Hrsg.): Thomas Mann. Paris 1973.

Tyroff, Siegmar: Namen bei Thomas Mann in den Erzählungen und den Romanen *Buddenbrooks, Königliche Hoheit* und *Der Zauberberg*. Bern 1975.

Vogt, Jochen: Thomas Mann *Buddenbrooks*, München 1983.

Wenzel, Georg (Hrsg.): Betrachtungen und Überblicke. Zum Werk Thomas Manns. Berlin-DDR/Weimar 1966.

Widmann, Elisabeth: Thomas Mann. Vortrag. Göttingen 1903.

Wiecker, Rolf (Hrsg.): Gedenkschrift für Thomas Mann 1875 – 1975. Kopenhagen 1975.

Wysling, Hans (Hrsg.): Bild und Text bei Thomas Mann. Eine Dokumentation. Bern/München 1975 (zus. m. Yvonne Schmidlin).

Wysling, Hans: Thomas Mann heute. Sieben Vorträge. Bern/ München 1976.

Zeller, Michael: Väter und Söhne bei Thomas Mann. Der Generationsschritt als geschichtlicher Prozeß. Bonn 1974.

Zeller, Michael: Bürger oder Bourgeois? Eine literatursoziologische Studie zu Thomas Manns *Buddenbrooks* und Heinrich Manns *Im Schlaraffenland*. Stuttgart 1976.

C) Aufsätze, Einzeluntersuchungen

Andersen, Vilhelm: Vorwort. In: Th. Mann, *Huset Budden-brook*, Bd. 1, Kopenhagen 1903, S. V – XII (dän.).

Arntzen, Helmut: Thomas Manns *Buddenbrooks*, 5. Teil, 5. Kapitel. In: H. Arntzen, Satirischer Stil. Zur Satire Robert Musils im *Mann ohne Eigenschaften*. Bonn 1960, S. 31 – 35.

Bab, Julius: Verfall einer Familie. In: Neue Rundschau, 21, 1910, H. 9, S. 1312 – 1314.

Bab, Julius: Vom Geiste des Bürgertums. In: J. Bab, Befreiungsschlacht. Kulturpolitische Betrachtungen aus literarischen Anlässen. Stuttgart 1928, S. 43 – 61.

Barasch, Monique: Das Leitmotiv in den *Buddenbrooks* von Thomas Mann. In: The USF Language Quarterly, 18, 1980, Nr. 3/4, S. 9 – 14.

Bäumer, Gertrud: Thomas Mann, der Dichter der *Buddenbrooks*. In: Die Frau, 11, 1903, H. 1, S. 32 – 36 ebenfalls in: Jochen Vogt, Thomas Manns *Buddenbrooks*, München 1983, S. 151 – 155 (Auszug).

Beck, Götz: Fiktives und Nicht-Fiktives. Bemerkungen zu neueren Tendenzen in der Thomas-Mann-Forschung. In: Studi Germanici, N. S. 9, 1971, S. 447 – 476.

Behnsen, Friedrich: Deutsches Bürgertum in der Literatur, am Beispiel Heinrich und Thomas Mann. In: Sprache, Literatur und Kommunikation [Teil] 1. Stuttgart 1974, S. 108 – 134.

Bergsten, Gunilla: Thomas Mann in Schweden. In: Beatrix Bludau/Eckard Heftrich/Helmut Koopmann (Hrsg.), Thomas Mann 1875 – 1975. Vorträge in München, Zürich, Lübeck. Frankfurt a. M. 1977, S. 424 – 433.

Bertram, Ernst: Das Problem des Verfalls. In: Mitteilungen der Literarhistorischen Gesellschaft Bonn, 2, H. 2, (Februar) 1907, S. 72 – 79.

Betzen, Ture: Thomas Manns *Buddenbrooks*. In: Th. Mann, »Hanno Buddenbrook«. Für die Mittel- und Oberstufe des Gymnasiums, hrsg. v. T. Betzen, Stockholm 1931, S. 3 – 6.

Blei, Franz: Thomas Mann: *Buddenbrooks*. In: Die Insel, 3, 1902, H. 4, S. 115 – 117.

Block, Haskell M.: Mann's *Buddenbrooks*. In: Naturalistic Tryptich: The Fictive and the Real in Zola, Mann, and Dreiser. New York 1970, S. 32 – 53.

Brachfeld, F. Oliver: Prólogo a la Primera Edición Espanola.

In: Th. Mann, *Los Buddenbrooks. Ocaso de una familia*, Barcelona 1936, S. IX – XVI.

Brewster, Dorothy: Time Passes. In: D. Brewster/Angus Burrell, Adventure or Experience. Four Essays on Certain Writers And Readers of Novels. New York 1930, S: 37 – 75.

Brüll, Oswald: Der Schloß-, der Bürger- und der Volksgarten. In: O. Brüll, Thomas Mann. Variationen über ein Thema. Wien/ Leipzig/München 1923, S. 163 – 175.

Bürgin, Hans: Die Vorfahren Heinrich und Thomas Manns. In: Jan Herchenröder/Ulrich Thoemmes (Hrsg.), Thomas Mann, geboren in Lübeck. Lübeck 1975, S. 14 ff.

Büring, Wilhelm: Thomas Manns *Buddenbrooks*. In: W. Büring, Der Kaufmann in der Literatur, Leipzig 1920, S. 34 – 36.

Dettmering, Peter: Thomas Mann. In: P. Dettmering, Dichtung und Psychoanalyse. Thomas Mann – Rainer Maria Rilke – Richard Wagner. München 1969, S. 9 – 79.

Dieckmann, E.: Erzählstrukturen im Frühwerk L. N. Tolstois und ihr vergleichender Aspekt. In: Zeitschrift für Slawistik, 12, 1967, Nr. 1, S. 78 – 88.

Dierks, Manfred: Zur Bedeutung philosophischer Konzepte für einen Autor und für die Beschaffenheit seiner Texte. In: Bjørn Ekmann/Børge Kristiansen/Friedrich Schmöe (Hrsg.), Literatur und Philosophie. Kopenhagen 1983, S. 9 ff.

Diersen, Inge: Thomas Manns *Buddenbrooks*. In: Weimarer Beiträge, 3, 1957, Nr. 1, S. 58 – 86.

Dietzel, Ulrich: Tony Buddenbrook – Elisabeth Mann. Ein Beitrag zur Werkgeschichte der *Buddenbrooks*. In: Sinn und Form, 15, 1963, H. 2/3, S. 497 – 502.

Dietzel, Ulrich: Nachwort. In: Thomas Mann – Heinrich Mann. Briefwechsel 1900 – 1949. Berlin-DDR 1965, S. 203 ff.

Dill, Heinz J.: Der Spiegelbegriff bei Thomas Mann: die Kunst als Synthese von Erkenntnis und Naivität. In: Orbis litterarum, 37, 1982, S. 134 ff.

Dittmer, Hans: Buddenbrooks und die Kirche. In: Die Christliche Welt, 45, 1931, Nr. 2, Sp. 67 – 70.

Dreismans, Heinrich: Der alte und der neue Erziehungsroman. In: Die Gegenwart, 33, Bd. 66, 1904, Nr. 42, S. 247 – 250.

Ebel, Uwe: Welthaftigkeit als Welthaltigkeit: Zum Verhältnis von mimetischem und poetischem Anspruch in Thomas Manns *Buddenbrooks*. In: R. Wiecker (Hrsg.), Gedenkschrift für Thomas Mann 1875 – 1975. Kopenhagen 1975, S. 9 – 51.

Eickhorst, William: *Buddenbrooks* and *Der Zauberberg*. In: W. Eickhorst, Decadence in German Fiction. Denver 1953, S. 43 – 57.

Elema, Hans: Das Kunstwerk in seiner Zeit. In: H. Elema, Imaginäres Zentrum. Studien zur deutschen Literatur. Assen 1968, S. 175 – 197.

Eloesser, Arthur: Neue Bücher. In: Neue Deutsche Runschau, 12, 1901, H. 12, S. 1281 – 1290 (insbes. S. 1288 f.).

Emrich, Elke: Zum metaphysischen Bedürfnis in Thomas Manns *Buddenbrooks* und Heinrich Manns *Im Schlaraffenland*. In: Hans Ester/Guillaume van Gemert (Hrsg.), Annäherungen. Studien zur deutschen Literatur und Literaturwissenschaft im 20. Jahrhundert. Amsterdam 1985, S. 19 ff.; ebenfalls in: Heinrich Mann-Jahrbuch, 2/1984, hrsg. v. Helmut Koopmann/Peter-Paul Schneider, Lübeck 1985, S. 18 – 32.

Eschenburg, Theodor: Nachlese zu den *Buddenbrooks*. In: Universitas, 21, 1966, H. 3, S. 273 – 281.

Fischer, Samuel: Neues zur Entstehung der *Buddenbrooks*. Die Geschichte eines Romans, wie sie sich in den Briefen des Verlegers an den Autor spiegelt. In: Neue Rundschau, 69, 1958, H. 2, S. 258 – 291.

Fischer, Samuel: ›Das Ding auch ein wenig geschäftlich ansehen‹: Aus der Entstehungsgeschichte der *Buddenbrooks*. In: Neue Zürcher Zeitung, 18. August 1974.

Forselles, Jenny af: Thomas Mann: *Buddenbrooks – Tristan*. In: Euterpe, 1905, Nr. 23/24, S. 245 – 248.

Fourrier, Georges: La querelle des deux frères. In: G. Fourrier, Thomas Mann, le message d'un artiste-bourgeois (1896 – 1924). Paris 1960, S. 217 ff.

Fuchs, Albert: Thomas Mann: *Les Buddenbrooks*. In: A. Fuchs, Initiation à l'étude de la langue et littérature allemande moderne. Strasbourg 1939, S. 182 – 193.

Grautoff, Otto: *Buddenbrooks*. In: Der Lotse, 2, 1902, H. 14, S. 442 – 444.

Halasz, Elöd: Buddenbrooks und Eugénie. In: Heinrich Mann am Wendepunkt der deutschen Geschichte. Berlin-DDR 1971, S. 72 ff.

Hall, J. N. van: Thomas Manns *Buddenbrooks*. In: De Gids, 70, (Dezember) 1906, S. 560 – 567.

Hartmann, Karl: Thomas Manns *Buddenbrooks*. In: Der Literat, 2, 1901, November/Dezember, S. 348.

Hatfield, Henry: Thomas Mann's *Buddenbrooks*. The World of the Father. In: H. Hatfield (Hrsg.), Thomas Mann. A Collection of Critical Essays. Englewood Cliffs 1964, S. 10 – 21.

Havenstein, Martin: Thomas Manns *Buddenbrooks* im Deutschunterricht. In: Schule und Wissenschaft, 2, (November) 1927, H. 2, S. 58 – 72.

Hell, Victor: Gustave Flaubert et Thomas Mann. 1848 dans *L'Education Sentimentale* et dans *Les Buddenbrook*. In: Comparison, 1978, Nr. 8, S. 3 – 16.

Heller, Erich: Thomas Mann: *Buddenbrooks*. In: Jost Schillomeit (Hrsg.), Interpretationen, Bd. 3: Deutsche Romane von Grimmelshausen bis Musil. Frankfurt a. M. 1966, S. 230 – 268.

Hofman, Alois: Tolstois und Turgenjews humanistischer Realismus in den *Buddenbrooks*. In: Sinn und Form, Sonderheft Thomas Mann, 1965, S. 186 – 203.

Hofmann, Fritz: Nachwort. In: Th. Mann, *Buddenbrooks*. Berlin-DDR 1963, S. 785 – 803.

Hofmann, Fritz: Nachwort. In: Th. Mann, »Romane und Erzählungen«, Bd. 1: *Buddenbrooks*. Berlin-DDR/Weimar 1974, S. 785 – 839.

Hofmiller, Josef: Thomas Mann. In: Süddeutsche Monatshefte, 7, 1910, H. 1, S. 137 – 149.

Hove, E. van der: Quelques Aspects de Thomas Mann. In: Revue générale, 138, (15. Oktober) 1937, S. 458 – 470.

Jens, Walter: Nachwort. In: Th. Mann, *Buddenbrooks. Verfall einer Familie*. Hamburg/Frankfurt a. M. 1960, S. 518 – 520.

Jolles, Charlotte: Sesemi Weichbrodt. Observations on a Minor Charakter of Thomas Mann's Fictional World. In: German Life & Letters, 22, 1968, Nr. 1, S. 32 – 38.

Jonas, Klaus W.: Leben und Werk von Thomas Mann. In: Thomas Mann, *Buddenbrooks*. Stuttgart/Zürich 1969 (Nobelpreis für Literatur 1929).

Kamnitzer, Heinz: *Buddenbrooks*. Bemerkungen zu Zeit und Roman. In: Aufbau, 14, 1958, H. 5/6, S. 682 – 696.

Karthaus, Ulrich: *Buddenbrooks* von Thomas Mann im literarischen Kontext ihrer Entstehungszeit. In: Herbert Grabes (Hrsg.), Text – Leser – Bedeutung. Untersuchungen zur Interaktion von Text und Leser. Großen-Linden 1977, S. 121 – 143.

Kirchhoff, Ursula: Die ›doppelte Optik‹ in den Festdarstellungen von Thomas Manns *Buddenbrooks*. In: U. Kirchhoff, Die Darstellung des Festes im Roman um 1900. Ihre thematische und funktionelle Bedeutung. Münster 1969, S. 29 – 43.

128

Kofta, Maria: Das Meer im Weltbild der *Buddenbrooks* Thomas Manns. In: Germanica Wratislaviensia, 29, 1977, S. 109 – 119.

Kontridse, Bidsina: Erlebte Rede in Thomas Manns *Buddenbrooks*. In: Wissenschaftliche Zeitschrift der Tbilisser Universität, Nr. 106, 1964, S. 231 – 250.

Kontridse, Bidsina: Direkte und indirekte Rede in Thomas Manns *Buddenbrooks*. In: Wissenschaftliche Zeitschrift der Tbilisser Universität, Nr. 115, 1965, S. 17 – 34.

Koopmann, Helmut: Thomas Mann und Schopenhauer. In: Peter Pütz (Hrsg.), Thomas Mann und die Tradition. Frankfurt a. M. 1971, S. 180 ff.

Koopmann, Helmut: Hanno Buddenbrook, Tonio Kröger und Tadzio: Anfang und Begründung des Mythos im Werk Thomas Manns. In: Rolf Wiecker (Hrsg.), Gedenkschrift für Thomas Mann 1875 – 1975. Kopenhagen 1975, S. 53 – 65 ebenfalls in: Rudolf Wolff (Hrsg.), Thomas Mann – Erzählungen und Novellen. Bonn 1984, S. 86 – 99.

Korrodi, Eduard: Ein Kapitel aus der Geschichte des deutschen Realismus. In: Schweizerland, 3, 1916, Nr. 2 und 3, S. 155 – 160 und 211 – 223.

Kraul, Fritz: Die *Buddenbrooks* als Gesellschaftsroman. In: Der Deutschunterricht, 11, 1959, H. 4, S. 88 – 104.

Kuczynski, Jürgen: Thomas Mann: Drei Studien über die Entwicklung des historischen Bewußtseins eines Humanisten des deutschen Bürgertums. In: J. Kuczynski, Gestalten und Werke. Soziologische Studien zur deutschen Literatur. Berlin-DDR/ Weimar 1969, S. 245 – 316.

Kurzke, Hermann: Ästhetisches Wirkungsbewußtsein und narrative Ethik bei Thomas Mann. In: Orbis litterarum, 35, 1980, S. 163 ff. ebenfalls in: H. Kurzke (Hrsg.), Stationen der Thomas-Mann-Forschung. Aufsätze seit 1970. Würzburg 1985, S. 210 – 227.

Kurzke, Hermann: Tendenzen der Forschung seit 1976. In: H. Kurzke (Hrsg.), Stationen der Thomas-Mann-Forschung. Aufsätze seit 1970. Würzburg 1985, S. 7 – 14.

Laudien, Arthur: Ein Schlüssel zu Thomas Manns *Buddenbrooks*. In: Euphorion, 23, 1921, S. 99 – 102.

Lämmert, Eberhard: Thomas Mann, *Buddenbrooks*. In: Benno v. Wiese (Hrsg.), Der deutsche Roman. Vom Barock bis zur Gegenwart. Struktur und Geschichte, Bd. 2. Düsseldorf 1963, S. 190 – 233 u. S. 434 – 439.

Lehnert, Herbert: Die Bürger-Künstler-Brüder: Heinrich und

Thomas Mann. In: H. Lehnert, Geschichte der deutschen Literatur. Vom Jugendstil zum Expressionismus. Stuttgart 1978, S. 457 ff.

Lehnert, Herbert: Thomas Mann: *Buddenbrooks* (1901). In: Paul Michael Lützeler (Hrsg.), Deutsche Romane des 20. Jahrhunderts: Neue Interpretationen. Königstein/Ts. 1983, S. 31 ff.

Leistner, Bernd: Mechanismus von Massenreaktion. *Buddenbrooks*. Elfter Teil. Zweites Kapitel. In: Neue Deutsche Literatur, 34, H. 7, 1986, S. 130 ff.

Lersch, Eugen: Die stilistische Bedeutung des Imperfektums der Rede. In: Germanisch-Romanische Monatsschrift, 6, 1914, S. 470 – 489.

Levertin, Oscar: *Buddenbrooks*. In: O. Levertin, Utlandts litteratur, Stockholm 1909, S. 265 – 273.

Levinson, André: Introduction. In: Th. Mann, *Les Buddenbrooks. Le Déclin d'une famille*, Bd. 1, Paris 1932, S. 7 – 11.

Linden, Walther: Entwicklungsstufen scheidender Bürgerlichkeit. Thomas Mann, Hans Grimm und der neue Heroismus. In: Zeitschrift für Deutschkunde, 47, 1933, H. 6, S. 345 – 361.

Lion, Ferdinand: Gewebe in Thomas Manns *Buddenbrooks*. In: F. Lion, Das Geheimnis des Kunstwerks. Stuttgart 1932, S. 55 – 61.

Lorenz, Max: *Buddenbrooks*. In: Preußische Jahrbücher, Bd. 110, 1902, H. 1, S. 149 – 152.

Lublinkski, Samuel: Thomas Mann. Die *Buddenbrooks*. In: Berliner Tageblatt, 31, (13. September) 1902, Nr. 466, Abend-Ausgabe; ebenfalls in: Neue Zürcher Zeitung, 192, Nr. 352 (Fernausgabe Nr. 208), S. 37.

Lublinkski, Samuel: Über Thomas Manns *Buddenbrooks*. In: S. Lublinski, Die Bilanz der Moderne, Berlin 1904, S. 224 – 228; ebenfalls in: Klaus Schröter (Hrsg.), Thomas Mann im Urteil seiner Zeit, Hamburg 1969, S. 28 – 30.

Lucas, Guy: Die Darstellung der Gesellschaft in Thomas Manns *Buddenbrooks*. In: Revue des Langues Vivantes, 30, 1964, S. 195 – 200.

Ludwig, Martin H.: Perspektive und Weltbild in Thomas Manns *Buddenbrooks*. In: Manfred Brauneck (Hrsg.), Der deutsche Roman im 20. Jahrhundert, Bd. 1. Bamberg 1976, S. 82 – 106.

Lukács, Georg: *Buddenbrooks*. In: G. Lukács, Thomas Mann. Berlin 1957, S. 141 – 147.

Martens, Kurt: Der Roman einer Familie. In: Das literarische Echo, 4, 1901, H. 6, S. 380 – 383.

Matthias, Klaus: Zur Erzählweise in den *Buddenbrooks*. In: Lübeckische Blätter, 125, 1965, Nr. 14, S. 209 – 217; Nr. 15, S. 240 – 244.

Matthias, Klaus: *Renée Mauperin* und *Buddenbrooks*. Über eine literarische Beziehung im Bereich der Rezeption französischer Literatur durch die Brüder Mann. In: Modern Language Notes, 90, 1975, S. 371 – 417.

Mayer, Hans: Nachwort. In: Th. Mann, »Buddenbrooks. Verfall einer Familie«, Berlin-DDR 1952, S. 789 – 797.

Meerheimb, Henriette von: Neue Romane. In: Monatsblätter für deutsche Literatur, 6, 1904, H. 5, S. 213 – 219 (über *Buddenbrooks*, S. 216 – 219).

Meyer, Herman: Thomas Mann, *Die Buddenbrooks*. In: H. Meyer, Der Sonderling in der deutschen Literatur. München 1963, S. 292 – 294.

Miller-Budnickaja, R.: Smert kultury. In: Th. Mann, *Buddenbrooki*, Moskau/Leningrad 1935, S. I –XXXI.

Muret, Maurice: Les *Buddenbrooks* par Thomas Mann. In: M. Muret, La Littérature allemande d'aujourd'hui. Lausanne 1909, S. 213 – 219.

Mushake, Ernst: Thomas Mann: *Die Buddenbrooks*. In: E. Mushake, Romane, die ihre Zeit spiegeln. Vorträge, gehalten an der Volkshochschule Frankfurt a. M., Horb/N. 1949, S. 89 – 116.

Nivelle, Armand: La structure des *Buddenbrooks*. In: Revue des langues vivantes, 24, 1958, S. 323 ff.

Novák, Arne: Vorwort. In: Th. Mann, *Buddenbrookové*, Bd. 1, Prag 1930, S. VII – XXXII.

Petersen, Ulrich: Thomas Mann: *Buddenbrooks*. In: U. Petersen, Frihed og tabu: Essays. Kopenhagen 1970, S. 16 – 24.

Petriconi, Hellmuth: »Verfall einer Familie« und Höllensturz eines Reiches. In: H. Petriconi, Das Reich des Untergangs. Bemerkungen über ein mythologisches Thema. Hamburg 1958, S. 151 – 184.

Pocar, Ervino: Introdizione. In: Th. Mann, *I Buddenbrook*. Mailand 1965, S. XV – XX.

Pongs, Hermann: *Buddenbrooks*. In: H. Pongs, Das Bild in der Dichtung, Bd. 3: Der synthetische Kosmos der Dichtung. Marburg 1969, S. 408 – 434.

Prange, Otto: Thomas Mann und das Versicherungswesen. In: Neumanns Zeitschrift für Versicherungswesen, 54, 1931, Nr. 15, S. 338 – 342.

Pütz, Peter: Die Stufen des Bewußtseins bei Schopenhauer und den Buddenbrooks. In: B. Allemann/E. Koppen (Hrsg.), Teilnahme und Spiegelung. Festschrift für Horst Rüdiger. Berlin/New York 1975, S. 443 ff. ebenfalls in: Hermann Kurzke (Hrsg.), Stationen der Thomas-Mann-Forschung. Aufsätze seit 1970. Würzburg 1985, S. 15 – 24.

Rabenius, O.: Einleitung. In: Th. Mann, *Huset Buddenbrook*. Stockholm 1934, S. 5 – 8.

Rattner, Josef: Thomas Mann: *Buddenbrooks*. In: J. Rattner, Der schwierige Mitmensch: Psychotherapeutische Erfahrungen zur Selbsterkenntnis, Menschenkenntnis und Charakterkunde. Olten/Freiburg i. Br. 1970, S. 189 – 197.

Ridley, Hugh: Nature and Society in *Buddenbrooks*. In: Orbis Litterarum, 33, 1973, Nr. 2, S. 138 – 147.

Riess, Curt: Thomas Mann schreibt *Buddenbrooks*. In: C. Riess, Bestseller. Bücher, die Millionen lesen. Hamburg 1960, S. 75 – 92.

Rilke, Rainer Maria: Thomas Manns *Buddenbrooks*. In: Bremer Tageblatt, 16. April 1902 ebenfalls in: R. M. Rilke, Sämtliche Werke, Bd. 5. Frankfurt a. M. 1965, S. 577 – 581.

Rosikat, A.: Der Oberlehrer im Spiegel der Dichtung. In: Zeitschrift für den deutschen Unterricht, 18, 1905, S. 617 – 633; S. 687 – 703.

Royer, Jean: Lübecker Gotik und Lübecker Straßenbild als Leitmotiv in den *Buddenbrooks*. In: Nordelbingen, Bd. 33, 1964, S. 136 – 160.

Sagave, Pierre-Paul: Activité economique et conscience bourgeoisie dans les *Buddenbrooks* de Thomas Mann. In: Bulletin de la Faculté des Lettres Strasbourg, 30, 1951/1952, S. 155 – 174; S. 177 – 186.

Sagave, Pierre-Paul: Zur Geschichtlichkeit von Thomas Manns Jugendroman: Bürgerliches Klassenbewußtsein und kapitalistische Praxis in *Buddenbrooks*. In: H. Arntzen (Hrsg.), Literaturwissenschaft und Geschichtsphilosophie: Festschrift für Wilhelm Emrich. Berlin 1975, S. 436 – 452.

Sandberg, Hans-Joachim: Thomas Mann und Georg Brandes. Quellenkritische Beobachtungen zur Rezeption (un-)politischer Einsichten und zu deren Integration in Essay und Erzählkunst. In: Bludau/Heftrich/Koopmann (Hrsg.), Thomas Mann 1875 – 1975. Vorträge. Frankfurt a. M. 1977, S. 2 – 85 ff.; ebenfalls in: Hermann Kurzke (Hrsg.), Stationen der Thomas-Mann-Forschung. Aufsätze seit 1970. Würzburg 1985, S. 73 – 91.

Schanze, Helmut: Thomas Mann: *Buddenbrooks* im »Kontext« um 1900 – Probleme einer Rezeptionsgeschichte. In: Roger Bauer/Eckard Heftrich (Hrsg.), Fin de siècle. Zu Literatur und Kunst der Jahrhundertwende. Frankfurt a. M. 1977, S. 596 – 608.

Scherrer, Paul: Bruchstücke der *Buddenbrooks*-Urhandschrift und Zeugnisse zu ihrer Entstehung 1897 – 1901. In: Neue Rundschau, 69, 1958, H. 2, S. 258 – 291.

Scherrer, Paul: Aus Thomas Manns Vorarbeiten zu den *Buddenbrooks*. In: O. Scherrer/Hans Wysling, Quellenkritische Studien zum Werk Thomas Manns. Bern/München 1967, S. 7 – 22 (vorher veröffentlicht u. a. in: Blätter der Thomas Mann-Gesellschaft, Zürich 1959, Nr. 2).

Scherrer, Paul: Thomas Manns Mutter liefert Rezepte für die *Buddenbrooks*. In: Libris et litteris. Festschrift für Hermann Tiemann zum 60. Geburtstag. Hamburg 1959, S. 325 – 337.

Schwarz, Oskar: Der Gymnasiallehrerstand bei Thomas Mann. In: Bayerische Blätter für das Gymnasialschulwesen. 54, (September/Oktober) 1918, S. 127 – 130.

Seidler-von Hippel, Elisabeth: Thomas Mann. In: Paul Dormagen (Hrsg.), Handbuch zur modernen Literatur im Deutschunterricht. Frankfurt a. M. 1963, S. 59 – 74.

Singer, Helena: Helena und der Senator. Versuch einer mythologischen Deutung von Thomas Manns *Buddenbrooks*. In: Stuttgarter Zeitung, 13. April 1963; ebenfalls in: Helmut Koopmann, Thomas Mann. Darmstadt 1975, S. 247 – 256.

Slugocka, Ludmila: Der Verfall des deutschen Bürgertums in den Romanen *Erinnerungen von Ludolf Ursleu d. Jüngeren* von Ricarda Huch und *Buddenbrooks* von Thomas Mann. In: Studia Germanica Posnaniensia, 1, 1971, S. 35 – 49.

Stodte, H.: Die *Buddenbrooks* von Thomas Mann. In: Lübeckische Blätter, 44, (23. Februar) 1902, Nr. 8, S. 104 f.

Stresau, Hermann: Die *Buddenbrooks*. In: Neue Rundschau, 66, 1955, H. 3, S. 392 – 410.

Vaget, Hans R.: Thomas Mann und Wagner. Zur Funktion des Leitmotivs in *Der Ring des Nibelungen* und *Buddenbrooks*. In: Steven Paul Scher (Hrsg.), Literatur und Musik. Berlin 1984, S. 326 – 347.

Vaget, Hans Rudolf: Thomas Mann und Oskar Panizza: Zwei Splitter zu *Buddenbrooks* und *Doktor Faustus*. In: Germanisch-Romanische Monatsschrift, N. F., 25, 1975, Nr. 2, S. 231 – 237.

Vaget, Hans Rudolf: Rezeptionsästhetik: Schwierigkeiten mit dem Erwartungshorizont am Beispiel der *Buddenbrooks*. In: Monatshefte für deutschen Unterricht, deutsche Sprache und Literatur, 71, 1979, S. 399 – 409.

Vaget, Hans Rudolf: Auf dem Weg zur Repräsentanz. Thomas Mann in Briefen an Otto Grautoff (1894 –1901). In: Neue Rundschau, 91, H. 2, 1980, S. 58 ff.

Vaget, Hans Rudolf: Der Asket und der Komödiant: die Brüder Buddenbrooks. In: Modern Language Notes, 97, 1982, S. 656 – 670.

Vietta, Silvio: Die *Buddenbrooks* im Fernsehen. Eine Mannheimer Studie zur Rezeption der Verfilmung des Romans von Thomas Mann. In: Helmut Kreuzer/Reinhold Viehoff (Hrsg.), Literaturwissenschaft und empirische Methoden. Göttingen 1981, S. 244 ff.

Vogt, Jochen: Einiges über ›Haus‹ und ›Familie‹ in den *Buddenbrooks*. In: H. L. Arnold (Hrsg.), Thomas Mann. München ²1982, S. 67 – 84.

Waldmüller, Hans: Thomas Mann. Zahlen, Fakten, Daten seiner Rezeption. In: Aus dem Antiquariat, H. 3, 1980, S. 97 ff.

Werner, Renate: »Cultur der Oberfläche«. Anmerkungen zur Rezeption der Artisten – Metaphysik im frühen Werk Heinrich und Thomas Manns. In: Roger Bauer/Eckard Heftrich u. a. (Hrsg.), Fin de siècle. Zu Literatur und Kunst der Jahrhundertwende. Frankfurt a. M. 1977, S. 60 ff.

Weydt, Günther: Thomas Mann und Storm. In: R. v. Heydebrand/Klaus-Günther Just (Hrsg.), Wissenschaft als Dialog. Wolfdietrich Rasch zum 65. Geburtstag. Stuttgart 1969, S. 174 – 193.

Wolf, Ernest M.: Language, Dialect and Society in Thomas Manns *Buddenbrooks*. In: Programm des 4. Internationalen Germanistenkongresses, Princeton 1970, S. 111.

Wolf, Ernest M.: Scheidung und Mischung: Sprache und Gesellschaft in Thomas Manns *Buddenbrooks*. In: Orbis litterarum, 38, 1983, S. 235 ff.

Wysling, Hans: Zur Einführung. In: Thomas Mann – Heinrich Mann. Briefwechsel 1900 – 1949. Erw. Neuausgabe. Frankfurt a. M. 1984, S. VII – LXI.

Zimmermann, Richard: Lübeck im Roman der Gegenwart. In: Preußische Jahrbücher, Bd. 142, 1910, H. 2, S. 345 f.

Zindler, Erwin: Ein Literat der Demokratie. Was Obersekundaner über Thomas Mann sagen. Eine überwältigende Sammlung

von Fremdwörtern und sprachlichen Unrichtigkeiten im »Mei-sterroman«. In: Völkische Beobachter, 43, (28. August) 1930.
Zucker, A. E.: The Genealogical Novel. A New Genre. In: Publications of the Modern Language Association of America, 43, (Juni) 1928, S. 551 – 560.

Drucknachweise:

Anthes, Otto: Erstveröffentlicht in: O. Anthes, *Die Stadt der Buddenbrooks*, Leipzig 1925.

Blei, Franz: Erstveröffentlicht in: *Die Insel*, 3. Jahrg., H. 4, Leipzig 1902, S. 115 – 117. Alle Rechte bei: Erbengemeinschaft Franz Blei, vertreten durch Internationaal Literatuur Bureau, B. V., Hilversum/Holland.

Grautoff, Otto: Aus: *Thomas Mann, Briefe an Otto Grautoff und Ida Boy-Ed*, hg. v. Peter de Mendelssohn. Frankfurt a. M. 1975, S. 249/250. Alle Rechte beim S. Fischer Verlag, Frankfurt a. M.

Gumppenberg, Hans von: Erstveröffentlicht in: *Münchner Neueste Nachrichten* vom 20. November 1901.

Koopmann, Helmut: Erstveröffentlicht als ein Kapitel in: H. Koopmann, *Die Entwicklung des »intellektuellen Romans« bei Thomas Mann*, Bonn 1962 (^{3}1980), S. 107 – 131.

Mann, Thomas: Aus: *Thomas Mann, Briefe an Otto Grautoff und Ida Boy-Ed*, hg. v. Peter de Mendelssohn. Frankfurt a. M. 1975, S. 139/140. Alle Rechte beim S. Fischer Verlag, Frankfurt a. M.

Martens, Kurt: Erstveröffentlicht in: *Das literarische Echo*, 4. Jahrg., H. 6, Berlin 1901, S. 380 – 383.

Matthias, Klaus: Erstveröffentlicht in: *Modern Language Notes*, 90. Jahrg., Nr. 3, Baltimore (April) 1975, S. 371 – 417.

Meyer-Benfrey, Heinrich: Erstveröffentlicht in: *Beilage zur Allgemeinen Zeitung* vom 22. März 1904.

Rilke, Rainer Maria: Aus: R. M. Rilke, *Sämtliche Werke*, Bd. 5, Frankfurt a. M. 1965, S. 577 – 581. Alle Rechte beim Insel Verlag, Frankfurt a. M.

Schaukal, Richard: Erstveröffentlicht in: *Rheinisch-westfälische Zeitung* vom 9. August 1903.

Bildnachweis:

S. Fischer Verlag (Umschlagfoto).
Herausgeber und Verlag danken allen Autoren für die Abdruckrechte. Leider war es nicht in allen Fällen möglich, die Inhaber des Urheberrechts zu ermitteln. Diese sind gebeten, sich mit dem Verlag in Verbindung zu setzen.